Drei Geschichten und ein Geständnis

Existenzfragen

Band 2 der Reihe „*3 und 1*“

Nicht nur für politische Aktivisten

Otto Bernecker

3 Geschichten und 1 Geständnis

Bibliografische Information der Deutschen Nationalbibliothek:
Die Deutsche Nationalbibliothek verzeichnet diese Publikation
in der Deutschen Nationalbibliografie; detaillierte bibliografische Daten sind im Internet über dnb.dnb.de abrufbar

Herstellung und Verlag: BoD – Books on Demand, Norderstedt

ISBN: 978-3-7568-5057-0

Band 2

Existenzfragen

INHALT

Vorbemerkung

Wer den ersten Band dieser gerade begonnenen Reihe „3 Geschichten und 1 Geständnis" gelesen hat, weiß dass ihn Blicke auf das Thema aus völlig unterschiedlichen Richtungen und mit unterschiedlicher Ernsthaftigkeit erwarten. Ein Menü mit Spannungsbogen, wechselnden Perspektiven und Kontrasten. Eine Auswahl, die überraschen soll und darf.

Mangel an Ernsthaftigkeit im Umgang mit *Existenzfragen* wird einem in der heutigen Zeit leicht als Zynismus ausgelegt und ich bin nicht angetreten, in diesem schmalen Bändchen das Gegenteil zu beweisen. Daher verbiete ich mir erst einmal das Scherzhafte, das mir durchaus in den Sinn kommt, wenn ich die Absurdität mancher Vorschläge zur Rettung der Welt sehe. Ich suche allerdings auch dort nach jedem Rest von Unbekümmertheit, denn die erscheint mir oft als Gnade, angesichts all der existenziellen Ängste, die uns umso mehr packen, je aufmerksamer wir unseren Blick über den Tag hinaus richten. Umso schwieriger wird es, meinen Vorsatz eines gastlichen Menüs zu erfüllen. Ich muss meinem Leser in Sachen Existenzfragen ein hohes Maß an philosophischer Haltung abverlangen, um hoffen zu dürfen, dass er Geschmack an diesem Menü findet, denn bittere Noten und schwer verdauliche Tatsachen sind unvermeidlich. Nicht wenigen Lesern wird, angesichts der Schwierigkeit und Breite dieses umfassenden Themas, der eine oder andere Happen zunächst am Gaumen kleben bleiben. Er mag dann auch durchaus Skepsis empfinden. Aber wie ein ungewohntes Mahl erst am Tag darauf seinen wahren Wert beweist, so wird nach dieser Lektüre, wie ich hoffe, der tapfere Leser am Ende einen neuen, klareren Begriff von den Antworten auf die hier aufgetischten Fragen haben. Nicht zu viel auf einmal zu lesen, kann dabei durchaus hilfreich sein.

Aktive Beteiligung an einem Gespräch über Existenzfragen gleicht immer einem Geständnis. Es ist schwierig, Fakten von der innerer Überzeugung zu trennen und der Mensch – wie jedes Wesen, stellt in der Regel das Gefühl vor die Fakten. Übereinstimmung beider ist selten. Die Berücksichtigung von Fakten hat die Evolution nur im absolut nötigen Maß in uns angelegt, und schon gar nicht als Hindernis für die Sicherung der eigenen Existenz. Unser Verstand – oh du Stolz des Menschengeschlechts! – ist, so scheint es mir, Opfer dieses Dilemmas. Da gibt es die Pragmatiker, die es ohne Mühe schaffen, ihren Verstand zum Sklaven der Existenz zu machen. Und dann die anderen, deren Verstand sich sein eigenes Bild von Wert und Unwert der Existenz macht, Beweise haben will, dass das, was die Notwendigkeit ihm abverlangt, in dieses Gesamtbild passt. Ein Wunder, dass solche Menschen überhaupt existieren. Sie hätten längst aussterben müssen – wäre da nicht die Instanz mit Namen GEMÜT, die immer wieder vermittelnd tätig wird und dem Verstand ein Schnippchen schlägt, um ihm den Dienst abzuringen, den er der eigenen Existenz schuldet. Dies einzuräumen, fällt mir schwer und ich muss es mit einigen Geschichten rechtfertigen.

Ist es vielleicht dieses so leicht fehlgeleitete oder fehlleitende „Gemüt", das gerade die sozial bemühten und selbstkritischen Menschen dazu drängt, ständig darüber nachzudenken, wie sie die Welt retten können? Ich habe dieses Büchlein nicht zuletzt für solche Menschen zusammengestellt, um sie davon abzubringen, mit ihrer Kraft gleich die ganze Welt retten zu wollen. Denn dies ist der gerade Weg in die Selbstzerstörung. Die „Welt" will nicht gerettet werden! Sie ist nur der Schauplatz, für den Kampf der unterschiedlichen Vorstellungen, und der Preisrichter – für die Auszeichnung der Sieger.

Moos und Steinchen

Unser Biologielehrer, so um das Jahr 1963 herum, hat mit nachdenklichem Gesicht den Satz gesprochen: „So gut wie alle Geheimnisse des Lebens sind geklärt, was aber noch völlig im Dunkeln liegt, das ist die *„Embryogenese“*. Da er dies vor einer Klasse sprach, die schon drei oder vier Jahre Unterricht in Altgriechisch hinter sich hatte, klang das Wort nicht allzu fremd. Aber dennoch hat niemand verstanden, was er meinte. Heute kann man sich natürlich jederzeit alle aktuellen Erkenntnisse zur Embryogenese im Internet abrufen und sich vergewissern, dass der genannte Lehrer vom Anfangsstadium der Entwicklung des Embryos aus der Eizelle sprach. Dem Moment, in dem sich Organe und Gliedmaßen entfalten, aus einem Zellklumpen. Aber der Satz bleibt so falsch wie damals, denn, nach wie vor, so meine Wahrnehmung, liegt nicht nur diese Phase des Lebens, sondern so gut wie alles im Dunkeln, was seine Weitergabe von einer Generation zur nächsten angeht. Und auf der *wahren* Existenzfrage liegt das dunkelste Dunkel: Was drängt jedes Lebewesen, sein Leben zu erhalten und an dem Kampf teilzunehmen, der damit verbunden ist? Die folgende kleine Geschichte kann man als Illustration dieses Rätsels lesen. Allerdings befasst sie sich nicht mit der körperlichen, sondern mit der *seelischen* Entwicklung. Und die ist ein noch größeres Rätsel.

---------- ◆ ----------

In unseren Herzen gehen täglich Welten unter. Alles Neue ist mit dem Verlust von bisher Gewohntem verbunden. Es war also nicht das erste Mal, dass ich in eine neue Welt umgesetzt wurde, damals, als mein Leben als Internatsschüler begann. Aber dies war der erste wirklich radikale Umbruch. Als Alleinerziehende hatte meine Mutter damals keine andere Wahl, als mich in eine Internatsschule zu stecken, um mir eine gute Ausbildung zu sichern. Es gelang mir mit ihrer und Lehrer Oblingers Hilfe, die Voraussetzungen zu erfüllen für die Aufnahme im Gymnasium des Benediktinerklosters Schäftlarn, im Isartal südlich von München. Chaos und Entsetzen standen am Anfang, für jeden von uns, die wir an diesem Tag hierher verpflanzt worden waren.

Was ich nun erzähle, ereignete sich auf dem zweiten oder dritten Spaziergang. Herbst im Isartal! An den Hängen Wald, von Forstwegen durchzogen. Spätsommerliche Stille im Lichterspiel hängender Zweige, plötzlich zerrissen durch eine Horde Kinder. Durch uns! Angeführt von einem Mönch in schwarzer Kutte.

Der eigene Impuls führt ein Kind hierhin und dorthin, nie jedoch in die Richtung, die ihm vorgezeichnet und vorgeschrieben wird. So waren Drohung und Zwang die Methode, um die Kolonne zusammenzuhalten. Der „ganze Studiersaal", also die Gesamtheit aller Schüler, denen dieser Studiersaal als Heimat diente, wurde von einem Aufseher – „Präfekt" hieß sein Amt, und „Pater Paulus" sein Name – wie eine Herde von Schafen dem imaginären Ziel entgegen geführt, das irgendwo am Ende des Waldes lag, oben, wo der Hang die Ebene erreichte, weit hinter Hohenschäftlarn, gegen Baierbrunn zu.

Dann der Appell! Mit jedem Namen, den der Präfekt aufrief, verband sich ein Echo aus einem der Münder in der versammelten Schar: „Hier!". Wer zum Appell am Zielort nicht da war, hatte später peinliche Befragung und schwere Strafen zu erwarten. Die Namen der neuen Kameraden klangen mir schon wie ein bekannter Rhythmus im Kopf: Albert, Altenbuchner, Altenried, Aurnhammer, Bachhofer, Bader, Bernecker („Hier"), Blersch, Borchard, Burkämper, Dennerlöhr, Eichberger, Ertl, Escales, Ferstl, Fischer, Frohmann, Fuchs, Glückstein, Gollong ... es ging weiter bis Zwicknagel und es waren insgesamt zweiundsechzig Namen, aufgeteilt in zwei Schulklassen, zusammen in einem Studiersaal untergebracht, auch des Nachts unter Aufsicht, in drei Schlafsälen, unter fahlem bläulichen Licht.

Zurück von solchen Spaziergängen trieb uns der Hunger, aber auch am Ende des Wegs stand immer ein Appell. Die Vorderleute nicht verlieren und dabei doch Raum für eigene Neigungen zu finden, das war das Ziel eines jeden.

Diese ersten Spaziergänge, als noch nichts Routine war, als Gesichter noch neu und fremd das eigene, von fern gekommene Ich bedrängten, forderten von jedem, eine neue Rolle zu finden, aus der heraus er dann seinen Bezug zu all dem Fremden um ihn herum zu finden versuchte. Das tobte, das plapperte, das sprang und drohte, das schrie und raufte, das rannte und tollte. Feuchte, modernde Tannennadeln boten den Schuhen und Hosenböden dafür sanfte Polster. Harz an den Händen suchte der Körper Ermüdung. Frechere Geister scharten sich um die Aufsicht, mit Bedacht die Grenzen erforschend, die Gesetze der neuen Welt erprobend. Provozierend und werbend, schmeichelnd den Zauber der Jugend verströmend. Wurzellose Schösslinge in einem Gewächshaus, nach Halt und Nahrung suchend.

Grüppchen fanden sich zusammen, die gemeinsam ein Opfer suchten, um es durch Necken zu erproben, die Körpersprache schaffte neue Bezüge, denn das Alte zählte nicht mehr. Zu lang war die Zukunft. „Sechs Jahre" hieß das Ziel, das Ende der Internatszeit, und danach war nichts. Zu selten würden die Begegnung mit Eltern, Geschwistern, Freunden und Verwandten sein. Nur alle zwei Wochen waren einen Nachmittag lang Besuche erlaubt, Heimfahrten nur jedes zweite

Mal. Solch strikte Regeln zogen Gräben zwischen uns und der Außenwelt.

Viele erlebten diese Rollensuche als ersten Umgang mit einer so großen Menge fremder Menschen. Viele waren in ganz kleinen Schritten mit den wenigen Personen vertraut geworden, die sie bis dahin umgeben hatten. Selbst die Kameraden der ersten vier Schulklassen waren meist zum Zeitpunkt der Einschulung lange keine Unbekannten mehr gewesen. So nimmt es nicht Wunder, wenn so mancher, und dazu gehörte auch ich, vor den Ruinen seines bis dahin aufgebauten Weltbilds und seines Bilds von der eigenen Rolle in dieser Welt stand. Unbewusst, aber deswegen nicht weniger klar, stand jedem vor Augen: Er war ins Wasser geworfen und musste um sein Leben schwimmen. Welche Mittel ihm dazu taugten, musste er sehr schnell herausfinden, wenn er nicht auf immer untergehen wollte.

Ich denke, dass im Leben eines jeden der vielen Teilnehmer an diesem Spaziergang diese wenigen Tage mehr entschieden, als jede spätere Weichenstellung. Niemand half bei diesem Prozess. Er lief, nur in seinen Auswüchsen überhaupt bemerkbar, in einem stillen wilden Kampf eines jeden gegen jeden ab. Alle Mittel waren erlaubt. Gewalt, Drohung, Schmeicheln, Unterwürfigkeit, Täuschung, Aufschneiderei, Prahlen, Imponieren, Rückzug und Angriff, Verrat und geheime Bündnisse, und oft auch der Zufall: Ich hatte die Bekanntschaft eines Mitschülers namens Burkämper gemacht. Er war mir näher als andere, aus ganz nichtigen Gründen. Erstens wurde sein Name immer nahe dem meinen im Appell gerufen. Zu einem Zeitpunkt also, zu dem ich Namen und Gesichter registrierte, zu dem meine Aufmerksamkeit noch auf das Geschehen gelenkt war. Zweitens klang sein Name so ähnlich wie Burbach. Und Burbach war der Name des Sohns einer Arbeitskollegin meiner Mutter, der schon in der zweiten Klasse war, und dem ich als Schützling anempfohlen worden war, allerdings ziemlich vergeblich, wegen der strikten Klasseneinteilung.

Wir, Burkämper und ich, taten uns auf diesem Spaziergang zusammen und führten das Neckspiel in einer Zweiergruppierung fort, offenbar in amüsanter Weise, denn bald drängten sich weitere Kinder sanft in das gleiche Spiel. Da war zum Beispiel einer, der hieß Altenried – wir nannten einander alle grundsätzlich, von Ausnahmen abgesehen, bis zum Ende der Internatszeit mit Du und dem Nachnamen. Dieser Altenried, auch er einer aus der ersten Namensgruppe, war ein schlanker, großer, dunkelblonder Junge, nicht sehr sportlich, aber mit einer gewissen Eleganz. Und Gollong war natürlich auch nicht weit, mit seiner kastanienbraunen Glattmähne, der Kamerad aus meiner Grundschulzeit, der aber schon lange vor dem Eintritt ins Internat in den Süden von München gezogen war. So sahen wir uns hier nach längerer Zeit wieder, jedenfalls mit Freude. Wir hatten uns immer recht gern gehabt, wenn auch mit einiger Rivalität, denn unsere Begabungen ähnelten einander.

So wurde aus dem Spiel zu zweit ein Gruppenspiel, unterbrochen von abwechselnden Zwiegesprächen, immer dann, wenn wir uns wieder auf die Pflicht besannen und auf dem Weg weitergingen. Ein Spiel, in das jeder von uns Anregungen aus seiner bisherigen Erfahrungswelt, aber vor allem auch Beiträge aus seiner eigenen Beobachtungsgabe für die uns gerade umgebende Natur einbrachte. Ohne recht zu wissen, was geschah, begannen wir einander Fragen zu stellen und Neugierde aufeinander zu verspüren. Die Augen wurden offener, Burkämpers Blondschopf wurde gegen den von Altenried gestellt, die etwas pummelige Statur von Gollong gegen meine damals bereits recht hagere. Und als wir einander genügend taxiert hatten und keinen Anlass zu bösartigem Spott fanden, begannen wir um uns zu blicken und plötzlich alle zugleich mit der eben erwachten Neugier Wald und Wege zu betrachten, das Laub an den Bäumen nach Farben zu sortieren und die Weichheit des Mooses zu bewundern. Kleine Käfer krabbelten da. Und jedes Steinchen, das zwischen den Ästchen lag, bekam auf einmal ein Gesicht und war des Aufhebens und der Betrachtung wert.

Am Wegrand tat sich plötzlich ein Zugang auf in einen Ring aufragender Bäume, abgezirkelt und überschattet, mitten im moosdurchwirkten Nadelgrund. Wir schlüpften alle in den so gebildeten Raum, wie in einen Zauberkreis. Wir empfanden die Wichtigkeit des Augenblicks und suchten nach Objekten als Zeugen dieser Erkenntnis. Wir sammelten kleine Aststückchen, die wurden zum Talisman, Kieselsteinchen wurden zum Fetisch, und Moos wurde zum Purpursaum der Reliquien unserer Zauberstunde. Jeder hatte, zurück auf dem Weg, seinen Anteil dieser Kostbarkeiten auf seiner Hand ausgebreitet und dann in die Hosentasche gestopft. Wieder zuhause wurde alles sorgfältig sortiert und versteckt. Ich habe meine Sammlung fein säuberlich in eine Streichholzschachtel gelegt und einige Tage lang immer mit mir herumgetragen, sie bei Gelegenheit den anderen Mitgliedern als Ausweis unseres frisch gegründeten Clans gezeigt – die ihre Sachen natürlich auch dabei hatten und dann diskret aus der Tasche holten. Dabei wurden dann immer wissende Blicke ausgetauscht. Und immer, wenn ein anderes Kind unsere Aufmerksamkeit auf sich zog, wurde es erst, bevor weitere Kontakte stattfanden, zur Klärung seiner Rolle in unserem Kreis, einer kritischen Prüfung unterzogen.

Das war der Moment, in dem plötzlich das schier unerträgliche Heimweh verschwand. Eine neue Bestimmung drang in unsere Seelen.

Weder ich noch meine neuen Freunde waren reif für lebenslange Freundschaft. Wir alle waren noch nicht verwurzelt in unserer neuen Umgebung. Wir handelten ohne Absicht und Überlegung. Die Bindung, die diese Brüderschaft mit sich brachte, gab uns aber den ersten Halt. Sie kam über uns, ohne Alternative, geboren aus der Tiefe unserer Seelen, unbewusst, bis zu dem Moment, in dem wir sie als Tatsache begriffen.

Unser Bündnis wurde mir, mit wachsender Vertrautheit meiner neuen Umgebung, und mit wachsender Zahl neuer Bekannter, bald zur Fessel. Sie war mir auch unheimlich, weil ich nicht begreifen wollte, und letztlich bis heute nicht akzeptiere, dass so banale Ursachen so prägende Folgen haben sollten. Neue, echte Freundschaften kamen später. Bindungen, die über eine Zweierbeziehung hinausgingen, habe ich auch später nie wirklich akzeptiert. War es die Ahnung der zerstörenden Gewalt solcher Bünde, war es die Erkenntnis, dass zu jedem Freundbild ein Feindbild gehört? Noch bereit, die Wahl der Freunde dem Zufall zu überlassen, ging mir das gleiche Prinzip bei der Wahl der Feinde zu weit. So trug wohl auch mein Verhalten dazu bei, dass diese Clique ihre Bedeutung nicht auf Dauer behielt. Weil ich mich dem Urteil über Außenstehende nicht anschließen wollte, oder mich an ein gefälltes Urteil nicht gebunden fühlte.

Eine neue Welt entstand trotzdem, Schritt für Schritt und Schicht für Schicht, Wunden schlossen sich. Die Vergangenheit war nur an der schwachen Verbindungsfläche nach draußen, zur Familie, zum Rest der Welt, noch von Belang. Sie wurde auch den Kameraden gegenüber weitgehend tabuisiert. Der Internatszögling hatte seine eigenen Bräuche, seine eigene Sprache, seine inneren Feinde und seine inneren Wurzeln, seine Gerechtigkeitsvorstellungen, seine Sehnsüchte. Wechselnde Freundeskreise, in einer insgesamt überschaubaren, abgeschlossenen Welt, halfen in jedem Moment, den Herausforderungen und Gefahren gewachsen zu sein. Das Zwiegespräch und das Vertrauen zu Einzelnen gewannen an Gewicht. Und all dies ohne Einmischung von Erziehern.

Erwachsene, denkt nicht, ihr wäret es, die diese rettenden Netze schaffen und erhalten! Denkt nicht, ihr wäret es, die Kindern den Weg in die Welt bahnen und ihrer Existenz einen Sinn geben! Ihr könnt nur Grenzen setzen, um die neue Welt jedes Kindes im so entstandenen Raum möglich zu machen. Wo sie möglich ist, wird das Kind sie sich schaffen und darin im Bund mit anderen Kindern Reiche gründen.

---------- ◆ ----------

Energiewende

In dieser Geschichte wird es richtig ernst!

Vor ungefähr zehn Jahren, also 2012, begann die deutsche Politik aufzuspringen auf die Welle von Bestrebungen zur Verhinderung einer Klimakatastrophe. Damals war meine erste Reaktion:

„Das kann nicht funktionieren und ist daher politisch entweder unsinnig, oder absichtlich konzipiert, um von anderen Problemen abzulenken."

Woher diese Zweifel? Um sie zu verstehen, muss man weit in meine Vergangenheit blicken. Vielleicht werde ich in künftigen Bänden dieser Reihe Gelegenheit finden, Einzelheiten zu schildern. Hier erzähle ich, als Vorspann zur eigentlichen Geschichte, nämlich der von der Energieversorgung, nur die wichtigsten Stationen, die diese skeptische Haltung geprägt haben.

Bereits als Schüler war ich in meinen Überlegungen zur Zukunft der Menschheit so weit, dass mir klar wurde: Eine auf Dauer angelegte Zivilisation kann und darf nicht auf fossile Energieträger angewiesen sein, muss möglichst sparsam mit allen Rohstoffen umgehen und darf sich dieser auch nur temporär bedienen, auf der Suche nach dauerhafteren Lösungen. Die lächerlich niedrigen Preise für fossile Rohstoffe zeichneten damals genau das gegenteilige Bild. Als mir der Physiklehrer eröffnete, dass ich als Vortragender für eine Rede auf der Abiturfeier ausersehen war – sie sollte ein wissenschaftliches Thema behandeln – und mich fragte, ob mir ein Thema am Herzen läge, sagte ich ihm, ich würde gerne über die Frage reden, wie wir uns die Deckung unseres Energiebedarfs in der langfristigen Zukunft vorzustellen hätten. Bereits damals stand ja die Prognose, dass sich die fossilen Vorräte in den Zwanzigerjahren des 21. Jahrhunderts drastisch verknappen würden. Das schien mir Grund genug, das Thema als wichtig zu betrachten, auch wenn damals alle noch weit davon entfernt waren, die katastrophale Auswirkung der Emissionen auf das Klima auch nur zu erahnen. Der Lehrer bat mich dringend, nicht auf diesem Thema zu bestehen. Er hatte, wie er andeutete, die Sorge, dass der feierliche Anlass sonst mit düsteren Zukunftsszenarien belastet würde. Wie wahr! Ich trug dann schließlich über „Methoden der Entfernungsmessung in der Astronomie" vor. Ein Thema, das mich allerdings dann sehr faszinierte und tatsächlich auf die Astronomie im allgemeinen so neugierig machte, dass ich fast mein Studium darauf ausgerichtet hätte. Die beschränkte Dauer des Erdöl-Zeitalters verlor ich zwar dennoch nicht aus dem Gedächtnis, tröstete mich aber mit der Hoffnung, dass die Erschöpfung der Vorräte schnell genug kommen würde, bevor eine irreversible Abhängigkeit entstanden wäre.

Dass die Kernkraft in den damaligen Überlegungen eine große Rolle spielte, als Nachfolger der fossilen Energien, liegt auf der Hand. Die Inhalte meines Physikstudiums waren geprägt von der allgemeinen Hoffnung, auf diesem Weg alle künftigen Energieprobleme aus der Welt zu schaffen. Als Kind meiner Zeit hoffte auch ich. Je mehr ich aber in die physikalischen Zusammenhänge und die Realität menschlicher Schwächen eindrang, umso skeptischer wurde ich und wandte mich bei der Suche eines Themas für meine Diplomarbeit bereits anderen Gebieten zu. Fündig wurde ich bei der „Quantenoptik", das ist die Wissenschaft, aus der damals die gesamte Lasertechnik hervorgegangen ist.

Nach meinem Studium bekam ich 1971 trotzdem gleich Angebote von drei auf dem Gebiet der Atomtechnik tätigen Firmen. Doch hatte ich das Glück, als Mitarbeiter in einer über Deutschland hinaus renommierten industriellen Forschungseinrichtung aufgenommen zu werden. Das war das sogenannte „Forschungsinstitut" der AEG-Telefunken in Ulm, das vor allem auf dem Gebiet der Kommunikationstechnik tätig war. Im Kreise dieser Forscher, darunter viele, die wenig älter waren als ich, war es selbstverständlich, sich nicht nur über Technik, sondern auch über die Lösung sozialer und gesellschaftlicher Probleme auszutauschen und über die Voraussetzungen für den langfristigen Bestand der Zivilisation nachzudenken. Ethische Fragen im Zusammenhang mit den Aktivitäten der AEG-Telefunken als elektronischer Ausrüster von militärischem Gerät waren ein Hauptthema, aber auch das Ozonloch, Klimawandel durch Treibhausgase, Überbevölkerung, neue Lösungen für die Energieversorgung (Solartechnik, Wärmepumpen!) ebenso wie Gefahren der Kernkraft-Nutzung wurden innerhalb und außerhalb der Labore in großer Ernsthaftigkeit diskutiert. In diese Zeit fiel auch die erste große Warnung des „Club of Rome" vor ungebremstem Wachstum.

Ich gebe zu, wir alle unterschätzten damals die Brisanz der Probleme, wir hielten sie alle für lösbar, was einerseits an unserem Optimismus lag, andererseits aber auch an der wenig belastbaren Faktenlage, so dass Hoffnung unsere Diskussionen beherrschte, nicht Verzweiflung. Der grob vereinfachte Ansatz des Club of Rome überzeugte wenig. Und ja, ich gebe es zu, die Mentalität war damals so an Kriegsgefahren auf internationaler Ebene gewöhnt, dass man die Verhinderung von Katastrophen auf dieser von fremden Mächten beherrschten Bühne nicht ernsthaft als nützliches Feld für unser eigenes Handeln gelten ließ. Andererseits war das Vertrauen in die Vernunft der Supermächte stark genug, um uns doch in einer gewissen Sicherheit zu wiegen. So konzentrierten wir uns in den achteinhalb Jahren meiner Forschertätigkeit auf die Verbesserung der Kommunikations- und Datentechnik unter Einsatz von Lasern. Was uns nicht hinderte, bereits mit Unbehagen auf die Versprechungen der Reaktorindustrie zu schauen. Und auf solche der Forscher, die auf dem Gebiet der Kernfusion tätig waren. Überbevölkerung sahen wir als ein Problem, das sich langfristig selbst regeln würde, in Regie der jeweils betroffenen Staaten. Wie naiv!

Ja, die Zeiten haben sich geändert: Damals sah man sich noch nicht als gesamtverantwortlich für die Rettung der Menschheit an allen Orten. Man hatte noch die Illusion, dass jeder Staat für die Ernährung seiner Bevölkerung auf Dauer selbst gerade stehen würde. Der Schock kam für mich in dem Moment, als ich nach Bonn wechselte, als Mitarbeiter im Technologieministerium, wo ich für die Förderung der Forschung auf dem Gebiet der Mikroelektronik Verantwortung übernahm. Im Rahmen der „Einarbeitung für neue Mitarbeiter" durfte ich an einer Rundreise teilnehmen, die in die wichtigsten öffentlichen und industriellen Forschungseinrichtungen führte. Besichtigungen, Vorträge und Gespräche auf dieser Reise öffneten mir die Augen dafür, dass an jeder Ecke, in fast unerträglicher Weise, *Zweckoptimismus* das Prinzip war. Ich erinnere mich an eine absurde Diskussion mit Führungskräften der Kraftwerk-Union in Erlangen, die eine Art Propagandaminister ans Rednerpult stellten, der noch nie einen Gedanken darauf verschwendet hatte, dass es vielleicht berechtigte Bedenken gegen die Kernkraft geben könnte. Er vereinnahmte uns Besucher ungefragt und selbstverständlich als künftige Fürsprecher der Interessen der Kernkraft-Industrie und fiel aus allen Wolken, als er merkte, dass ihm kritische Fragen gestellt wurden. Er war nicht im Geringsten darauf vorbereitet und nahm uns auch nicht ernst. Für mich war im gleichen Augenblick klar: Da gibt es einen Graben der Verständnislosigkeit, der Sorglosigkeit, der Betriebsblindheit, so tief wie ein Ozean, und dieser Ozean trennte die industrielle Fachwelt von der Realität.

Was aber ist die Realität? Die „friedliche Nutzung der Kernkraft“ steht und stand schon damals auf verlorenem Posten für die langfristige Sicherung der Welt-Energieversorgung. Sie ist eine Sackgasse. Und schlimmer noch, die Welt ist voll von mächtigen Leuten, deren kurzsichtige Ziele ihnen verbieten, das zuzugeben. Sie sind Gefangene ihrer eigenen Interessen, Gläubige einer Idee der Weltrettung durch ihr Engagement, durch ihre Kompetenz. Sie haben nie den Gedanken zugelassen, dass die Welt anders sein könnte als in ihrer Vorstellung, dass das Zerstörerische im Menschen mehr Kraft haben könnte als das Bewahrende. Und was ist der Grund dafür, dass dem doch so ist? Der Grund ist der, dass auch die beste Technik nie für immer und für alle den Platz auf dem Planeten schaffen kann, um sich grenzenlos zu entfalten.

Wir haben nur den einen Planeten!

Inzwischen dämmert diese Einsicht manchem. Und damit sind wir bei der Katastrophe von Fukushima und der deutschen Energiewende, aber auch bei der Welt-Klima-Konferenz, in der immer noch die Uneinsichtigen überwiegen, die glauben, sie können eine Lösung anbieten, zum Beispiel durch „bessere" Kerntechnik. Und diejenigen, die ihr eigenes Süppchen kochen, zumal das Süppchen der immer noch quicklebendigen Öl- und Kunststoffindustrie. Und die Populisten, die hoffen, nur *andere* müssten den Gürtel enger schnallen. Um diese herum tanzt die Wilde Jagd derjenigen, die mehr an Schuldzuweisungen interessiert sind als an Respekt vor den Grenzen der Menschheit. Und, inzwischen, natürlich, angesichts schwindender Chancen für eine Lösung, beginnen viele Betroffene an sich selbst zu denken und an die Möglichkeit, die eigenen Überlebenschancen zu verbessern durch Zerstörung derer der anderen. Aus diesem Bild nährt sich meine Haltung.

Ich habe nun kürzlich eine Situationsanalyse verfasst, ohne Verzicht auf Hoffnung. Doch seien wir uns klar, diese Hoffnung kann nur leben in der Bereitschaft zur Beschränkung der eigenen Bedürfnisse, der eigenen Ansprüche zumal, und unter Einsatz unserer Kraft als Gemeinschaft. Dazu braucht es Prinzipien, die jeden Gedanken an, und jede Hoffnung auf, eine *Weltrettung* durch unsere Hand verbieten. Seien wir uns bewusst, die erste Frage ist: Gibt es überhaupt eine Zukunft für das Leben auf diesem Planeten, wenn der Mensch nicht rechtzeitig ausstirbt?

Die angesprochene Situationsanalyse habe ich an verschiedene Fachleute aus dem Umfeld dieser Technik geschickt und damit vielleicht Eulen nach Athen getragen. Sie umfasst im Kern nur einen winzigen Ausschnitt aus der gegenwärtigen Gesamtproblematik, nämlich die Versorgung mit elektrischer Energie. Diese wird allerdings immer mehr die alleinige Rolle in der Energieversorgung übernehmen müssen. Im Folgenden gebe ich Teile dieser Analyse wieder. Sie kann als Beispiel dafür dienen, wie sich auch andere Probleme vielleicht generell doch irgendwie, rational und emotional, einer Lösung näher bringen lassen. Wie zum Beispiel Wohnungsbau, Rente oder Gesundheitswesen. Fakten - Ursachen - Ziele - Wege. Alles auf den Tisch, daraus folgt die Lösung.

Der eine oder andere Leser wird vielleicht geneigt sein, nach der Lektüre seine Hoffnungen zu begraben. Was schade wäre, denn es geht nicht um Untergang, sondern um Selbstbegrenzung, und nicht um Weltrettung, sondern um Solidarität mit unserem Nachbarn. Alle Indizien weisen in eine Richtung: Die Eigenverantwortung der Menschen wird radikal zunehmen und das engere soziale Umfeld wird der Schauplatz sein.

Wer vorzieht, in Probleme der künftigen Energieversorgung keinen tieferen Einblick zu nehmen, darf die nächsten 14 Seiten überschlagen.

Der Energiemarkt gestern, heute, morgen

Das Prinzip der Knappheit

Vorbei sind die Zeiten, in denen Energieversorgung eine öffentliche Aufgabe sein konnte, und deren Erfüllung ein profitables Geschäft für die Kostgänger der öffentlichen Hand. Mit dem Ziel, die Zukunft zu sichern, fällt nun dem Staat die Aufgabe zu, dem Bürger Hilfe zu Selbsthilfe zu leisten, während die Industrie die technischen Mittel dafür bereitstellen muss, statt selbst als vorrangiger Versorger aufzutreten.

Kernkraft ade! Ganze Länder unter der Regie eines Energieriesen? Wie Frankreich dies immer noch anstrebt? – Schnee von gestern! Nicht die Verfügbarkeit von Rohstoffen sondern *Landbesitz ist die künftige Basis* für eine Konkurrenz zwischen allen Energieformen aus Windrädern, Stromtrassen, Solarplantagen, Speicheranlagen, aus Haustechnik zur Energiegewinnung und was sonst noch kommen mag. Sie alle entspringen direkt oder indirekt der *Energie der Sonne* und konkurrieren somit natürlicherweise auch mit der Nahrungsmittelproduktion. *Rohstoffe* jeder Art müssen zunehmend in Kreisprozesse eingebunden sein. Jede Nachlieferung, die der Planet nicht in Form geologischer Prozesse selbst besorgt, wird zur Gewissensfrage. Um dem Planeten seine Rolle als Lieferant von Ressourcen zu ermöglichen, muss sich der Mensch auch schmerzhafte neue Tabus auferlegen. Wer das Land besitzt, ist zweitrangig; dass er sich mit seiner Nutzung für *andere* nützlich macht ist unverzichtbar. Kriege: undenkbar, und wo sie geschehen: droht Steinzeit, Verlust des Lebensrechts des Besiegten. Alle Macht im Dienst der Menschen muss sich konzentrieren auf den Schutz der Lebensgrundlagen, muss gar Territorien ohne menschliche Ansiedelungen vorsehen, um einem unbewirtschafteten Hinterland die Rolle des Planeten-Regenerators zu ermöglichen.

Wie klein und kleinlich erscheint dagegen die Befassung mit tatsächlichen aktuellen Problemlösungen für die Energieversorgung. Und doch kann sich keine Situationsanalyse und kein Lösungsansatz aus solcher Einengung lösen. Ich möchte mit meinen Szenarien auch nicht ins Extrem gehen, aber es sollte klar sein, dass eine Zeit heraufdämmert, in der *Konkurrenz um extrem knappe Güter die Haupttriebfeder für jedes Überleben* wird. Ob die *Energiewende* gelingt oder nicht, ändert nichts an dieser Tatsache. Wir entscheiden mit unserem gegenwärtigen Tun nur über das Niveau, auf dem die vom Prinzip her gnadenlose Konkurrenz stattfinden wird. In der Hoffnung, *dass* diese Wende gelingt, brauchen wir ein Szenario, *wie* sie gelingen kann. Wir haben allen Grund, dieser Hoffnung durch unser heutiges Tun neue Türen zu öffnen. Denn: Krieg oder nicht, die Zukunft heißt: Friedliches Zusammenleben gelingt dauerhaft nur, wo der eine dem andern ein unentbehrlicher Nachbar wird. Wüste und Elend herrschen da, wo die Knappheit nicht weise gezähmt wird – durch freiwilligen Verzicht und maßvolles Wirtschaften! Nun aber zu den Niederungen der Lösungsansätze und zu dem, was unmittelbar nötig und lohnend erscheint:

Die heutige Ausgangssituation

Die Energieversorgung war im zwanzigsten Jahrhundert geprägt von einem Zusammenspiel zwischen staatlicher Aktivität zur Sicherung der Lebensgrundlagen und privater Initiative zur Einrichtung und zum profitablen Betrieb von Energiegewinnungs- und -verteilsystemen. Die alles beherrschenden fossilen Energieträger, also Kohle, Erdöl und Erdgas, wurden nach Zwischenlagerung teils direkt an Verbraucher geliefert, teils in Kraftwerken zu elektrischer Energie veredelt und konkurrierten dabei mit dem Strom aus Wasser- und Kernkraft. Andere Energieformen kamen, wenn überhaupt, nur in vergleichsweise geringem Umfang zum Einsatz, sei es weil sie veraltet waren (z.B. Zugtiere), oder sich noch im Entwicklungsstadium befanden (Solarenergie, moderne Windkraft, chemische und biologische Zwischenenergieträger).

Energieversorger, ob privat oder staatlich getragen, bedienten sich zur Erzeugung und Zwischenspeicherung von Energie ihrer eigenen Anlagen oder griffen zurück auf Kapazitäten aus einem so komplexen wie wohlorganisierten und weitgespannten Netzwerk aus Großerzeugern und Großverbrauchern. Die Ausgewogenheit dieses Netzwerks, das seine Stabilität nicht zuletzt dem Mitwirken der staatlichen Ordnungspolitik verdankte, ermöglichte es den Anbietern, ohne Rentabilitätsverlust *ausreichende* Kapazitätsreserven zu unterhalten und Bedarf *langfristig* zu planen und zu erfüllen. Ein Notstromaggregat war das Äußerste, was der Verbraucher im Eigeninteresse zur Versorgung beitrug.

Die letzten zwanzig Jahre brachten folgende massive Umwälzungen, die es nun notwendig machen, das Gesamtsystem Energieversorgung völlig neu zu organisieren:

1. Die *Liberalisierung des Energiemarkts* hat eine Vielzahl neuer Marktteilnehmer mit unterschiedlichsten Interessen und Strategien auf den Plan gerufen, deren Zusammenspiel zu höherem Preisdruck auf die Erzeuger, aber auch zu größeren Versorgungsrisiken für die Verbraucher führt.

2. Der programmierte *Ausstieg aus der Kernkraft* belastet die Investitionskraft der klassischen Energielieferanten.

3. Geopolitische Ereignisse komplizieren die *Ausbeutung fossiler Energiequellen*, die zudem immer knapper werden.
4. Risiken der künftigen Marktentwicklung bringen *neue Investoren* ins Spiel, deren Vertrauenswürdigkeit erst unter Beweis zu stellen ist.
5. Der Zugriff auf *neue Energiequellen* (Wind, Sonne, Gezeiten) und Energieträger (Wasserstoff, Batterien) erhöht die Ansprüche an Kapazitätsreserven und Marktflexibilität.
6. Die klassische *Trennung Versorger/Verbraucher bröckelt*; jeder Verbraucher wird zum potenziellen Kleinsterzeuger und Teilnehmer am Energiemarkt durch Angebots- und Nachfrageverhalten.

Kurzum, das in einem kleinen Kreis von Großversorgern etablierte Steuerungssystem ist instabil geworden. Das Ringen um den Erhalt einer Reststabilität nach alten Maßstäben gefährdet die Rentabilität neuer Lösungen und deren Weiterentwicklung. Das Ziel muss sein: Optimale *Nutzung neuer Techniken der Erzeugung, Speicherung und Verteilung* elektrischer Energieformen in Verantwortung der Bedarfsträger.

Ziele für die künftige Entwicklung

Die Politik wiegt sich, so meine Sorge, derzeit in falschen Hoffnungen. Es ist viel zu tun. Während heute Planbarkeit und Verfügbarkeit gesichert werden durch mühsame Aufrechterhaltung von monopolartigen Strukturen auf der Erzeugerseite, kann man sich ein *neues Gesamtsystem Energieversorgung* nur unter Rückgriff auf sorgfältig konzipierte *börsenartige Regelmechanismen* vorstellen, in die alle Bedarfsträger eingebunden sind. In der aktuellen Übergangszeit löst sich der Block der Energiekonzerne allmählich auf in eine unübersichtliche Vielzahl von Marktteilnehmern mit unterschiedlichen Handlungsmotiven und manchmal fragwürdigen Existenzberechtigungen. Der Handel mit Rechten ist, gegenüber dem Ertrag aus Erzeugung und Lieferung, an Bedeutung gewachsen. Der dadurch bedingte *Verlust an Transparenz* dürfte die anstehende Herkulesarbeit keineswegs erleichtern.

Das Ziel dieser Arbeit muss die Schaffung von neuen *Normen und Regeln* sein, für die Teilnahme jedes einzelnen Bürgers an einem Energiemarkt, der nicht mehr strikt unterscheidet zwischen Erzeugern, Netzbetreibern und Verbrauchern und gleichzeitig die Anliegen der Bedarfsminimierung berücksichtigt.

Zur Beschreibung des künftigen Marktteilnehmers nehme ich den Begriff „***Bedarfsträger***". Dieser Bedarfsträger konsumiert, hat also entsprechend der vertrauten Wortbedeutung selbst *Bedarf*, hat aber, durch Eigenerzeugung von Energie, auch Möglichkeiten zur Deckung seines Bedarfs und des Bedarfs anderer beizu*tragen*.

Die Sicht des mündigen Bedarfsträgers

Rollenverständnis

Zur Illustration der Problemstellung möchte ich die Lage und das Interesse eines typischen künftigen Bedarfsträgers für Elektroenergie beschreiben. Dieser Bedarfsträger wird nicht nach dem Motto handeln „der Strom kommt aus der Steckdose“, sondern wird Eigeninitiative zur Deckung und Refinanzierung seines Bedarfs entwickeln. Er betreibt nicht nur Einrichtungen zum *Verbrauch* von Energie (Heizkessel, Motoren etc.), sondern auch solche zur *Speicherung* (Wärmepumpen, Autobatterien) und zu deren *Erzeugung* (Windmühle, Solardach, Blockkraftwerk). Je nach aktuellem wirtschaftlichen Interesse wird er für den Eigenbedarf Energie hinzukaufen oder selbsterzeugte Energie benutzen. Überschüsse seiner Energieerzeugung wird er nur anstreben, wenn ihm dies zusätzlichen Nutzen bringt, sei es direkt und sofort, oder auch nach Zwischenspeicherung. Die so beschriebene autonom wirtschaftende Betriebseinheit nenne ich das „System“. Man kann es als Investition betrachten, die getätigt wurde, um über innere und äußere Schnittstellen ihren Zweck zu erfüllen, nämlich den, einen *Ertrag* zu erwirtschaften. Mit Ertrag ist hier nicht nur finanzieller Erfolg gemeint, sondern auch der Zuwachs ideeller Güter. Als Beispiele seien genannt: Bequemlichkeit, Risikovermeidung, Stärkung der Unabhängigkeit, gemeinnützige und wohltätige Zwecke.

Systemanforderungen

Die Frage, ob tatsächlich ein Ertrag zu erwarten ist, lässt sich, zumindest für den finanziellen Anteil, nur unter bestimmten Voraussetzungen beantworten. Dies möchte ich im Folgenden kurz skizzieren. Für das Verständnis der Anliegen des Bedarfsträgers ist es nützlich, vorab festzuhalten, dass mit dem beschriebenen System unter Weglassung der externen Schnittstellen eine voll autonome Stromversorgungs-Infrastruktur zur Verfügung steht, deren Wirtschaftlichkeit unabhängig von einer außerhalb existierenden Infrastruktur beurteilt werden kann.

Schnittstellen nach außen sind nur sinnvoll, wenn mindestens einer der folgenden Gründe zutrifft:

- Der Rückgriff auf externe Energielieferanten verspricht Einsparungen, die Option einer Eigenerzeugung wird also lediglich realisiert um die Versorgungssicherheit zu erhöhen oder Preisschwankungen der extern bezogenen Energie abzupuffern.
- Es wird Spitzenbedarf erwartet, der nicht sinnvoll autonom abdeckbar ist

- Durch Einspeisung selbst erzeugter Energie ins externe Verteilnetz sind zusätzliche Erträge erwirtschaftbar.

Die Frage, wie die andere Seite der Schnittstelle aussieht, nämlich die öffentliche (oder private?) Infrastruktur für den Transport der Energieträger zwischen den autonomen lokalen Infrastrukturen wird vorerst bewusst ausgeklammert. Im Idealfall könnten künftig solche verbindende Infrastrukturen nach den gleichen Methoden aus Bedarfsträgersicht normiert, strukturiert und in das Gesamtsystem integriert werden.

Die Konsequenz der hier vorgestellten Überlegungen wird klar, wenn wir kurz innehalten und uns erinnern, welch große Anstrengungen und Risiken den jeweiligen Investor erwarten. Sie sind nur tragbar, wenn er auf einen entsprechenden Ertrag seiner Anstrengungen hoffen darf. **Eine solide Vertrauensbasis ist daher die wichtigste Voraussetzung für das Gelingen der anstehenden Energiewende.** Die Bedarfsträger müssen zur Konzeption von solchen Lösungen motiviert werden, die den Allgemeinnutzen berücksichtigen, der da heißt: Rascher Aufbau von Lieferkapazitäten. Von hier bis zur Beantwortung der Frage, wie dies geschehen kann, ist noch ein weiter Weg. Insbesondere geht es um

- mittelfristig stabile *Preise* für Energie.
- mittelfristig stabile *Bedarfsdeckung.*

- ausreichende *Speicher*kapazitäten.
- flexible Transportmechanismen für den territorialen *Bedarfsausgleich*).

Dies alles erfordert eine Vertrauensbasis, die sich über die ganze Nutzungsdauer der Investitionen erstreckt. Dahinter steht das Bewusstsein, dass jede Neuinvestition, sei es auf der Anbieterseite, sei es auf der Nachfragerseite, von Planzahlen ausgehen muss, die über die Lebensdauer des Investitionsguts keine sprunghaften Änderungen erleben. Den dadurch definierten Zeithorizont nenne ich „*mittelfristig*“: Investitionen müssen mittelfristig geplant werden, sonst sind sie zu riskant und unterbleiben. Die Ziele der Energiewende brauchen aber sofortige Ermutigung.

„*Kurzfristig*“ muss daher ein neues politisches Instrumentarium für die Gewährleistung eines „mittelfristigen“ Planungsrahmens der dezentralen Energieversorger geschaffen werden. Dieses Instrumentarium sollte selbst aber auf „*langfristige*“ Geltung und Verfügbarkeit ausgelegt sein, damit er über die einzelnen investiven Planungsperioden deutlich hinausreicht und so die Basis bilden kann für das Vertrauen in ein auf Dauer stabiles Marktgeschehen.

Die fundamentalen Ziele der Energiepolitik kann man also in drei Schlagworten umreißen: Preisstabilität, Ressourcenschonung, Versorgungssicherheit. Die technische Realisierung zuverlässiger Instrumente zur Lösung dieser Aufgaben ist nur *ein* Faktor von mehreren, auf die in politischen Willensbildungsprozessen Einfluss ausgeübt werden kann und muss. Es ist nicht meine Absicht, hier in die Details politischer Willensbildung und entsprechende Erfolgsvoraussetzungen einzusteigen. Vielmehr will ich mich auf die zentrale Frage konzentrieren: *Wie kann das Vertrauen aufgebaut werden*, um der Realisierung von Infrastrukturen wie oben geschildert den Boden zu bereiten, ihre zügige Einführung zu fördern und ihren Betrieb frei zu halten von Disputen und destruktiver Kritik?

Zunächst zur Frage, was eigentlich die Rolle des Staates sein sollte, sein kann und sein muss. Antworten müssen zwei Perspektiven berücksichtigen: Ich will sie die Bottom-up-Perspektive und die Top-down-Perspektive nennen.

Die ganze Industriegeschichte ist geprägt von dem Gegensatz dieser beiden Betrachtungsweisen. Der *Bottom-up-Ansatz* vertritt die Position, dass die Vermarktung neuer Lösungen schrittweise und im Takt der Risikofreude und des wirtschaftlichen Erfolgs der innovatorisch tätigen

Unternehmen voranschreitet und die Konkurrenz zwischen den Unternehmen letztlich der besten Lösung den Weg bereitet. Der *Top-Down-Ansatz* erscheint dem gegenüber als der Marktplatz der Bedenkenträger und der Zauderer. Dass aber viele neue Wege der Technik und der Zivilisation grandios gescheitert sind, weil eben die nötigen Schritte zur Ausräumung von Bedenken nicht unternommen wurden oder rechtzeitige Normungsinitiativen versäumt wurden, ist ebenso offensichtlich. Letztlich hat immer nur die Kombination der beiden Ansätze zum Erfolg geführt.

Große Innovationswellen haben in der Vergangenheit meist gegen zähen Widerstand der etablierten Märkte, unter großen Opfern, mit bankrotten Investoren, brüskierten Kunden, ruinösen Konkurrenzkämpfen und nach fatalen Irrwegen endlich ihr – nicht immer ideales – Ziel gefunden. Die Realisierung der hier betrachteten Innovationsszenarien sollte nicht in dieser Weise unternommen werden. Dafür nenne ich folgende Argumente:

— Da in einem künftigen Energieversorgungssystem von Anfang an auf eine komplexe Vernetzung gesetzt wird, muss alles zusammenpassen, ist jeder Fehler im Systemansatz mit gewaltigen Risiken verbunden, in Form von Verzögerung, Kostenexplosion und Vertrauensverlust der Investoren und Bedarfsträger.

— Da die künftige Energieversorgung aus der Not heraus in Rekordzeit die bisherige Infrastruktur zu ersetzen hat, muss auch von staatlicher Seite jede Chance genutzt werden, um mögliche Hindernisse für eine schnelle Ausbreitung der neuen Ansätze aus dem Weg zu räumen und Investitionen zu fördern.

— Heute bereits existierende Beispielfälle für Vereinbarungen zwischen Kleinproduzenten von Strom und professionellen Großabnehmern können kein Modell für die Zukunft sein. Dank provisorischer gesetzlicher Regeln ist zwar ein gewisser Schutz der Kleinproduzenten vor Übervorteilung gewährleistet. Die hierbei praktizierten Regelungen sind aber weit entfernt von jeder Flexibilität, die nötig wäre, wenn das ganze Stromversorgungssystem neu aufgesetzt werden soll.

Was aber *sind* die Hauptrisiken der verschiedenen Ansätze? Beim Bottom-up-Ansatz sehe ich das größte Risiko in der Verwirrung, zu der *konkurrierende Ad-hoc-Lösungen* führen. Kritisch ist hier die Regelung der bedarfsgerechten Preisfindung. Wenn nicht in weitsichtiger Weise ein realistischer Rahmen gefunden wird, um ein möglichst breites Interesse von Investoren für die Teilnahme an diesem Markt zu wecken, wird die Geschwindigkeit des Infrastrukturaufbaus fatal gebremst. Beim Top-Down-Ansatz besteht wiederum die Gefahr, dass sich der *Staat in zu viele Details und Bedenken verwickelt.*

Um es kurz zu machen, da ja in dieser Betrachtung keine fertige Lösung angeboten, sondern nur Bewusstsein geschaffen werden soll für die Chancen und Risiken, hebe ich als **Kern der Rolle des Staates** drei Anliegen hervor:

1. Entschlossene Förderung der Entwicklung von *Standards* zur Unterstützung von kompatiblen Bottom-up-Lösungen. Modellprojekte!
2. Schaffung und Durchsetzung von *Regeln und Institutionen*, die der Systemsicherheit, Systemakzeptanz und Systemattraktivität dienen.
3. Risikoreduktion für *Investoren.* Das Vertrauen in die Planungssicherheit sollte nachhaltig gestärkt werden durch mittel- und langfristige Maßnahmen für gezielte Investitionsförderung und die Abfederung von Konkurrenzrisiken (national / international).

Keines der drei Themen wird im Augenblick richtig vorangetrieben und eine Gesamtstrategie ist nicht einmal im Ansatz zu erkennen. Wer sich dafür überhaupt zuständig fühlt, ist völlig unklar. Aber durch Hoffen allein ist noch nie ein Lösung entstanden. Daher fürchte ich, dass die Energiewende genau daran scheitert.

---------- ◆ ----------

Klimawandel

Je weiter die Wissenschaft in die ferne Vergangenheit des Planeten Erde vordringt, desto klarer wird, dass das Klima kein Geschenk des Himmels war und ist, sondern immer einen Faktor in einem komplexen Gleichgewicht darstellt, dessen Stabilität nie wirklich dauerhaft ist. Die Wissenschaft unterscheidet sogenannte „Erdzeitalter", das heißt Epochen der Vorgeschichte, anhand der historischen Entwicklung der Lebensformen, und jede dieser vergangenen Epochen war durch ein anderes Klima und andere Lebensformen geprägt. Oft gab es innerhalb der Epochen relativ stabile Lebensbedingungen, die sich aus einem Gleichgewicht in der gegenseitigen Abhängigkeit von Klima einerseits und darin gedeihenden Lebensformen andererseits ergaben. Immer aber war irgendwann die Zeit reif für die Suche nach einem neuen Gleichgewicht, mit naturgemäß katastrophalen Folgen für die Lebewesen der jeweiligen Wendezeit. Ich zitiere hier, in eigener Übersetzung, die weisen Worte in dem bereits 1972 erschienen Buch „LIVING ON THE THIRD PLANET" von Hannes und Kerstin Alfven:

„Das Leben hat seine ursprüngliche Neigung zur unkontrollierten Explosion von Populationen und zum anschließenden Aussterben – oder Beinahe-

Aussterben – seit jeher bewahrt. Die gleiche Neigung gehört immer noch zu allem Leben."

Die kurze Geschichte dieser Verwandlungen der lebendigen Erde – und die Lehren daraus – will ich im Folgenden erzählen.

Die Bühne

Der Mensch ist allzu sehr gewohnt, Ereignisse aus kausalen Zusammenhängen zu erklären. Man braucht kein Physiker zu sein, um die Absurdität des Ansatzes zu erkennen. Er nimmt die Kausalität sozusagen als ausschließlich gültiges Fundamentalgesetz und kommt damit zu einem Weltbild, in dem alles Geschehen sich aus einem ersten Urmoment herleitet. Kant und Schopenhauer sind letztlich an dem Versuch gescheitert, die Kausalität als Mutter alles Geschehens, aller Ethik und aller Wurzeln der Welt anzusehen. Am Ende mussten sie einsehen, dass es unmöglich ist, dem Leben einen Sinn zuzugestehen, wenn man nicht der Freiheit, unabhängig von der Kausalität, ihrerseits Raum zugesteht. Jenseits aller durchaus wahrnehmbarer Kausalität. Kausalität existiert, aber nur da, wo Zufallsereignisse in der Lage sind, einander verstärkend in die gleiche Richtung zu wirken.

Freiheit und Zufall sind zwei Seiten der gleichen Münze. Zufall wird mit der Erkenntnis, dass Freiheit unverzichtbar ist, zur Notwendigkeit.

(Monod: „Zufall und Notwendigkeit“! Dieses Buch ist der erste Versuch, diesen Gedanken zu popularisieren und auf ein plausibles Fundament zu heben.)

Wenn ich jetzt über die *Erdgeschichte* spreche, dann in dem Bewusstsein, dass es der Wissenschaft – dank der Anwendung ihres Wissens über die Naturgesetze – gelungen ist, große Teile dieser Geschichte ans Licht zu bringen, was die entscheidenden Ereignisse und deren Verlauf angeht. Man hat sogar für die meisten epochalen Entwicklungen und Umbrüche Ursachen gefunden, deren Folgen sich dann aus kausalen Abläufen erklären lassen. Ein nüchterner Blick auf diese Erkenntnisse lehrt uns aber dennoch, dass Voraussagen über die weitere Zukunft unseres Planeten allenfalls sehr kurzfristig möglich sind. Wenn wir, wie vorgesehen, unseren Blick konzentrieren auf die Frage des Klimawandels, dürfte die Reichweite unserer Erkenntnisse kaum einige Jahrzehnte überschreiten. Der Grund dafür liegt nicht in der mangelnden Aussagekraft der Gesetze der Natur, sondern in der Unberechenbarkeit der den Planeten bewohnenden Lebensformen. Um das plausibel zu machen, möchte ich, in einer groben Skizze, zunächst einen kurzen Überblick geben, in welcher Weise das Leben bereits in den vergangenen Jahrmilliarden die Natur des Planeten in immer überraschenden Wendungen geprägt hat.

Was bisher geschah

Nachdem die Erde nur wenige Millionen Jahre gebraucht hatte um aus Sternenstaub und eingesammeltem Meteoritenmüll Masse und Form zu gewinnen, durchlief sie, nach einem Kollisionsunfall mit einem anderen Protoplaneten, dem wir den Erdmond verdanken, und bereits unter dem Licht des nuklearen Feuers der Sonne, die erste Milliarde Jahre ihrer Geschichte mit Meteoriteneinschlägen, chemischen Umwandlungsprozessen und weiterer Abkühlung, bis Bedingungen entstanden, die für organisch-chemische Verbindungen geeignet waren. Die zweite Hälfte dieses Zeitraums verging mit der Herausbildung von biochemischen Kreisläufen, die mehr und mehr Ähnlichkeit mit Lebensvorgängen gewannen. Zu Beginn der zweiten Jahrmilliarde der Erdgeschichte hatte sich, bereits in Gegenwart lebendiger Urwesen, ein Gleichgewicht eingestellt, das für recht stabile Verhältnisse sorgte. Es herrschte ein „Klima", das nach Temperatur, Gaszusammensetzung der Atmosphäre und ozeanischer Chemie über weitere Milliarden Jahre Stabilität versprach, trotz unablässiger Störungen durch dramatische geologische Vorgänge und lokale Katastrophen.

Dieses Gleichgewicht war bereits geprägt durch die konkurrierenden, wenn auch weitgehend symbiontischen Verhaltensweisen der damals existierenden Lebensformen. Und aus Konkurrenz entsteht Weiterentwicklung, und daraus Veränderung. Und das nennt man Evolution. Das System hat sich somit immer wieder angepasst, durch weitere Evolution seiner Lebensformen, durchaus auch unter Gefährdung seines klimatischen und chemischen Gleichgewichts. Wenn ich von Stabilität spreche, dann deswegen, weil die Änderung des Klimas kaum je einen Grad der Abweichung erreichte, dass deswegen bereits vorhandene Organismen völlig aus der Biosphäre hätten verschwinden müssen, es sei denn, dass die Konkurrenz neu entstehender Lebewesen ihr Überleben unmöglich machte.

Ich nenne diesen Zustand die ***Biosphäre A***. Ihre Wirksamkeit begann vor etwa 3,4 Milliarden Jahren. Wie sich herausstellte, war das Gleichgewicht aber nicht für die Ewigkeit gemacht. Es ging von einer stabilen Chemie der Ozeane aus. Diese dienten, chemisch gesprochen, als „Pufferlösung“ unerschöpflicher Kapazität, und die vergleichsweise winzigen Einflüsse jeder Generation von Urwesen änderten daran wirklich nur wenig. Gerade weil der Ozean seinen Zweck über so endlos erscheinende Zeiten perfekt erfüllte, gab es für das damals existierende Leben keinen Anlass, Mechanismen zu entwickeln, um sich vor den Folgen eines möglichen Zusammenbruchs dieses Systems zu schützen.

Die vierte Jahrmilliarde der Existenz unseres Planeten Erde ging bereits in ihre zweite Hälfte, als das im Puffer verfügbare und für das damalige Leben unentbehrliche Kohlendioxid („CO2") knapp zu werden begann. Und dies nicht zuletzt deshalb, weil das Leben blühte und immer wieder neue Räume besiedelte. Weniger CO2, mehr Sauerstoff, stabilere Ozonschicht, bessere Lebensbedingungen dank Abschirmung der ultravioletten Strahlung der Sonne. Diese Faktoren bahnten zusammen den Weg in einen langsamen aber stetigen Zusammenbruch der ach so stabilen Biosphäre A. Epochale Temperaturstürze ließen die Ozeane zeitweise gefrieren, das Methan verschwand aus der Atmosphäre, der Ozean, der immerhin über eine Milliarde Jahre lang, aus seinem Vorrat an Sauerstoff bindenden Substanzen, diese Entwicklung in Grenzen gehalten hatte, kippte langsam in einen neuen Zustand. In „kurzer" Zeit (wir sprechen hier von 150 Millionen Jahren) stieg der Sauerstoffgehalt der Atmosphäre auf den vierfachen Wert. Das Leben widerstand, mit Höhen und Tiefen, weiter dem immer dringenderem Anpassungsdruck, bis er übermächtig wurde.

Nie wieder ist das Leben auf Erden mit einem größeren Wandel konfrontiert gewesen als in der zweiten Hälfte dieser Übergangszeit, die vor 635 Millionen Jahren begann. Ich nenne diesen „Moment" der Erdgeschichte die ***Biosphäre B***. Eigentlich hätte damals alles Leben auf der Erde an dem selbst erzeugten Klimawandel zugrunde gehen müssen. Statt dessen ergaben sich plötzlich Bedingungen, die, mitten im Chaos, evolutionäre

Schritte in alle Richtungen erst möglich und attraktiv machten. Dieses Phänomen ist unter dem Begriff „*Kambrische* Explosion" in die Geschichte eingegangen. Das Ergebnis war, dass in erdgeschichtlich extrem kurzer Zeit – man spricht da von 5 bis 10 Millionen Jahren – die biologischen Baupläne aller bis heute existierenden höheren Lebewesen entstanden und sich ausbreiteten. Ein neues Gleichgewicht von Sauerstoff verbrauchenden und Sauerstoff erzeugenden Organismen schien möglich. Dies jedoch erst, nachdem drohende weitere dramatische Klimaveränderungen, verursacht von der nun steigenden Sauerstoff-Konzentration, in den drei folgenden Erdepochen jeweils durch neue Pflanzenarten in die Schranken verwiesen wurden.

Das *Karbon-Zeitalter* nahm nun seinen Anfang, 390 Millionen Jahre vor unserer Zeit. Ich nenne diesen Zustand die ***Biosphäre C.*** Die jetzt vorherrschenden neuen Pflanzen, die Baumfarne, speicherten das überschüssige CO2 in Form von Holz, dem „Lignin". Es gab damals keine Lebewesen, die Lignin zersetzen konnten, so dass der vom CO2 extrahierte Kohlenstoff, der Hauptbestandteil des Lignin, sich nun in geologischen Prozessen nach und nach auf Dauer aus dem Kreislauf entfernte. So war die nächste Klimakatastrophe vorprogrammiert. Während sich fossiler Kohlenstoff in riesigen Lagerstätten sammelte, wurde CO2 so knapp, dass der Fortbestand des Lebens auf Erden wiederum nur durch neu entstehende Formen von Lebewesen gesichert werden konnte. Und zwar zunächst durch Pflanzen mit höherer Effizienz der Photosynthese, die mit der drastisch gesunkenen CO_2-Konzentration zurecht kamen. Die Gefahr eines endgültigen Temperaturabsturzes wurde aber schließlich erst durch einen neuen Pilz gebannt, dessen chemische Hexenküche erstmals einen Weg fand, das Lignin zu zersetzen und seinen Kohlenstoff als CO_2 in die Biosphäre zurückzuholen.

Wir sind damit in der ***Biosphäre D*** angekommen, die allerdings sehr instabil war. Ich kann die Situation durchaus mit der heutigen vergleichen, allerdings mit umgekehrtem Vorzeichen. Damals war das Erdklima durch Pflanzen aus dem Gleichgewicht geraten, die CO_2 in irreversibler Form aus dem Kreislauf entfernten, während heute die Wiedereinbringung von damals bereits auf Dauer unzugänglichen Kohlenstoffvorräten zum Problem geworden ist. Der damals neue Pilz, der heute noch existiert und als „Weißfäule“ bekannt ist, knackte alles noch an der Oberfläche verfügbare Lignin und überließ die Überreste einer wachsenden Bakterienfauna, deren Abfallprodukte einen neuen, unbremsbaren Treibhauseffekt auslösten, dem die meisten der damals bekannten Lebensformen zum Opfer fielen und durch neue ersetzt wurden.

Das Erdzeitalter, in dem dies passierte, nennt man *Perm*. Das darauf folgende Trias bedeutete einen Neubeginn, den ich mit ***Biosphäre E*** bezeichne. Es begann nun die Zeit, in der Meereslebewesen, insbesondere Korallen lernten, das CO2 dauerhaft aus der Atmosphäre zu entfernen, indem sie es in Kalkstein einbauten.

Auch in dieser Situation waren wiederum lebendige Wesen Ursache des Klimawandels. Damit soll nicht geleugnet werden, dass auch andere Einflüsse, vor allem durch Vulkane, und veränderte Meeresströmungen, veranlasst durch die Wanderung der Kontinente, dramatische Beiträge zur Klimageschichte der Erde leisten. Stabilisierung und Trendumkehr ging und geht aber immer von Lebewesen und deren Evolutionskraft aus. Die Biosphäre E war nie gegen Ausschläge des Klimas in gefährliche Bereiche gefeit, fand aber immer Reaktionsmechanismen, die dem Leben weiterhin die Plattform sicherten.

Immer wieder waren solche Ausschläge Anlass für biologische Innovation durch Evolution. So, um ein letztes Beispiel zu nennen, das Entstehen unserer heutigen ***Biosphäre F.*** Als vor 65 Millionen Jahren wieder einmal instabile Verhältnisse herrschten, stiegen die Temperaturen im *Eozän*-Zeitalter auf dramatische Höchstwerte, die dann nach und nach, durch geologische Zufälle und neue Pflanzen zu Land (Bäume!) und zu Wasser (Algenfarne), bewältigt wurden. Durch schleichende Reduktion des CO2 in der Atmosphäre sanken die Temperaturen langsam auf das heutige Niveau, mit den bekannten periodischen Schwankungen der Eiszeiten.

Wir erkennen, die Natur hat einige Trümpfe im Ärmel, um für weltrettende Überraschungen zu sorgen. Da nun der Mensch zum Problem geworden ist, sind neue Überraschungen zu erwarten – und die Lösung liegt oft im Verborgenen schon bereit.

Das aktuellste Problem vor Auftauchen des Menschen war ja zu niedrige CO2-Konzentration. Ein Kandidat für dessen Lösung waren die „C4"-Pflanzen, die die Effizienz der Photosynthese bei sehr geringer CO2-Konzentration revolutionieren und immerhin seit 30 Millionen Jahren auf ihren großen Durchbruch warten. Sie haben, so vermute ich, ihren wahren Triumphzug noch vor sich, sobald das vom Menschen verursachte Problem gelöst sein wird, nämlich das Wiederauftauchen des Kohlenstoffs aus längst im geologischen Untergrund verschollenen Lagerstätten. Wie dieses nun vordringliche Problem zu lösen ist, und ob es überhaupt vom Menschen gelöst werden muss, liegt heute noch in völligem Dunkel. Wir kennen zwar die Fakten, sind aber gerade erst mit der Analyse von Konsequenzen und Handlungsspielräumen beschäftigt und es lohnt, diese mit Energie voranzutreiben, wenn die im Menschen konzentrierte Verstandeskraft nicht eine kurze Episode der Erdgeschichte gewesen sein soll. Punktuelle Erfolge ungewiss, Weltrettung undenkbar!

Wogegen zu kämpfen ist

Vor diesem Hintergrund ist klar: Wer gegen den Klimawandel kämpft, kämpft gegen die Natur. Zumindest muss er sich klar sein, dass sein Kampf den Versuch darstellt, eine bestimmte Vorstellung von der Welt, nämlich seine eigene, zum Gesetz zu machen. Die wird aber nicht die Vorstellung von allen Lebewesen sein. Die Natur kann man als Summe aller Lebewesen und deren Umgebung sehen. Sie beeinflussen sich gegenseitig, im Guten wie im Schlechten. Der jeweilige Gegenwartszustand der Natur ist mehr oder weniger angepasst an die Vorstellungen und Bedürfnisse der einzelnen darin lebenden Wesen. Die Gesetze der Evolution lassen nur Platz für Wesen, deren Fähigkeiten und Vorstellungen zu einem gewissen Grad geeignet sind, in der jeweiligen Umgebung zu überleben und sich weiter fortzupflanzen. Die Anpassung ist also eine wechselseitige Bedingung, ohne dass dem Vorgang ein Wille zugesprochen werden kann. Nicht nur der Mensch wirkt verändernd auf seine Umwelt ein. Wer Elefanten beim Gärtnern beobachtet hat, ahnt wie sehr die Savanne ihr Werk ist. Wer Biber bauen sieht, kennt ihre Wirkung. Viel mehr aber wirken Lebewesen, bei denen man noch nicht einmal einen Ansatz von Verstand sieht – einfach kraft ihrer Existenz – auf die sie umgebende lebende und leblose Materie ein, die umgekehrt die Voraussetzung ist für ihr eigenes Leben. Das gilt für die Koralle wie den Krill, die Hefe wie die Erreger der Malaria, den Holzwurm wie das Heidekraut, den Apfelbaum wie den Weizen. Als damals die Weißfäule das Perm beendete, gab es kein Zurück. Alle Lebewesen mussten in der Veränderung ihrer Eigenschaften schritthalten mit dem Klimawandel, den eine einzige Art in unerbittlicher Weise und kraft ihrer Existenz erzwang.

Stellen wir uns vor, damals hätte es etwas wie den heutigen Menschen gegeben, eine Lebensform, die mit Intelligenz versucht hätte, im Kampf gegen die Weißfäule das Holz vor der Verseuchung und Zerstörung zu retten. Es wäre, so stellen wir uns vor, gelungen, durch gentechnische Angriffe oder Impfung jedes Baums, das Übel über viele Generationen hinweg zu bremsen und die Fäulniserreger gar auszurotten. Welch ein Sieg! Die Welt wurde verändert! Aus Sicht der damaligen Sieger sogar sehr zu ihrem vermeintlichen Vorteil. Aber hätte das Perm-Zeitalter so weitergehen können? Hätte das damalige Klima, das so unverzichtbar für das Leben dieser Siegerwesen war, weiter bestanden? Alle Vernunft sagt: Nein! Im Gegenteil, in langfristiger Betrachtungsweise hätte dieser vermeintliche Erfolg sogar mit noch größerer Sicherheit das Aussterben dieser intelligenten Wesen bewirkt, denn über lange Zeitmaßstäbe betrachtet hätte der CO2-Mangel – wie wir als ferne Nachfahren wissen – sogar das gesamte Leben auf Erden vernichten können.

Jedes Lebewesen ist ein Experiment, das in dem kleinen Augenblick der Weltgeschichte, während dessen es lebt, seine unmittelbare Bewährung findet, nicht als Retter der langfristigen Stabilität des gegenwärtigen Zustands, sondern als Erzeuger von Nachkommen, die dem auf den Augenblick folgenden nächsten Augenblick angepasst sind, um wiederum darin ihre Bewährung zu finden.

Der Schock

Immer mehr Wissenschaftler sind sich einig, dass die bis heute durch den Menschen verursachte Rückführung fossiler Kohlenstoffvorräte in die Atmosphäre bereits ausreicht, um das Klima bedrohlich zu verändern. Das Einzige, was daran von einem etwas weiter in Vergangenheit und Zukunft reichenden Standpunkt aus wirklich bedrohlich aussieht, ist die Plötzlichkeit, mit der sich dieses Problem dem gewohnten langsamen Wandel der Klimabedingungen in den Weg stellt. Die Frage ist nicht mehr wie bisher, ob sich die eine oder andere Spezies aus dem Wettbewerb verabschiedet, weil die verfügbaren fünfzig- oder hunderttausend Generationen nicht ausreichen, die bis dahin nötige Anpassung zu erzielen. Die Veränderung droht nun in einer einzigen Generation wirksam zu werden. Entsprechend schnell geht es um die Existenz des gesamten höheren Lebens auf der Erde, denn keine dieser Spezies kann sich auf natürliche Weise in solcher Geschwindigkeit anpassen. Angesichts dieser Erkenntnis ginge es hier und heute nicht mehr darum, ob man das Leid von Menschen mindern könnte, indem man drastische Einschnitte in die Existenzbedingungen über weitere Jahre und Jahrzehnte verzögert. Jedes Zögern wird das Leid nicht mildern, sondern verschärfen. Denn diese aktuellen Existenzbedingungen sind nur durch weitere Extraktion fossiler Energiequellen und durch Nutzung langfristig schädlicher nuklearer Energiequellen aufrecht zu erhalten.

Laut den Szenarien der Klimawissenschaftler scheint bereits jetzt klar, dass wir gegen eine Wand fahren, an der alles, was wir als Errungenschaft des kulturellen Fortschritts kennen und nutzen, zerschellen muss. Demnach wird uns jedes heute noch in die Atmosphäre geblasene Kilogramm CO2 näher an den Punkt bringen, an dem zumindest unserer Spezies ernsthaft das Aussterben droht. Entsprechend verbietet sich jede Relativierung der Dringlichkeit. Entsprechend fragwürdig wird jedes Argument, das fortgesetzte Gewinnung von fossilen Brennstoffen und Nutzung nuklearer Energiequellen rechtfertigt oder gar als ethisch geboten verteidigt. Ein Projekt, das uns heute unvorstellbar vorkommt, wie etwa ein sofortiger kompletter Verzicht auf fossile Energiequellen, würde von unserer Nachwelt dann wohl eher als angemessen bewertet werden als eines, das „Klimaneutralität“ erst in zwanzig Jahren verspricht (und, wie es heute aussieht, dann dieses Versprechen nicht einhält).

Auch wenn das radikalere Projekt katastrophale Folgen hat und zahllosen Menschen die Lebensgrundlage entzieht, könnte es sich letztlich als das humanere herausstellen, im Sinne der Langfristfolgen für das gesamte Leben auf Erden.

Das Problem

Jemandem zu erklären, warum sich das Klima ändert, ist etwas völlig anderes, als sich mit ihm zu einigen, wie man darauf reagieren sollte und insbesondere, was das Ziel unseres Handelns sein sollte. Die heute sehr angesehene, und als Quintessenz der menschlichen Philosophie deutbare, Glücksforschung rät dem Menschen, nicht auf die ferne Zukunft zu schauen, sondern den heutigen Tag in den Mittelpunkt zu stellen; nicht voll Angst auf die Sicherung des eigenen Lebens und die Rettung eines Status-Quo hinzuwirken, sondern frisch zu wagen, was die eigene Inspiration ihm eingibt. „Wer wagt, gewinnt" ist nicht als „Erfolgsrezept" gedacht, sondern als Ermutigung zum Befolgen des eigenen inneren Antriebs. Nur wer in diese Richtung geht, hat überhaupt eine Chance, dem Erfolg zu begegnen und damit dem Glück.

Nun sind die Menschen sehr verschieden, so dass nicht zu erwarten ist, dass sie alle in die gleiche Richtung gehen. Das ist in der Geschichte der Menschheit, ja in der ganzen Geschichte des Lebens, nie vorgekommen und gerade jetzt, inmitten der Klimadebatte, ist offensichtlich, dass es auch in Zukunft nicht zu erwarten ist. Jeder folgt letztlich seinen dunklen, ihm selbst kaum bewussten inneren Antrieben und freut sich, wenn es ihm gelingt, sie so in gesellschaftliche Konventionen und Trends einzubetten, dass letztlich für ihn selbst die Richtung stimmt. Intelligenz kann da durchaus helfen, aber auch Kraft, Sturheit, Glück, Schönheit (oder eine gewisse Vorstellung davon), innere Unruhe, Fleiß, und wie auch immer die Tugenden und Untugenden heißen mögen, die uns vom Schicksal gegeben sind, uns, also jedem von uns, nicht allen gemeinsam. Jedes „Sich durchsetzen" geht auf Kosten anderer Interessen, und letztlich ist es nur die Niederlage im Einzelfall, die verhindert, dass der Planet Erde an den ihn bevölkernden lebendigen (und toten) Wesen erstickt. Wenn sich also die Lebensbedingungen in einer Weise wandeln, die das Leben jedes Einzelnen erschwert, ihn also in zunehmendem Maße mit unausweichlichen individuellen Niederlagen konfrontiert, dann ist dies nichts als rettende Normalität. Diese Normalität heißt für viele Individuen, ja für einen erheblichen Teil der Menschheit, Verlust der Lebensgrundlagen, zum Beispiel durch Klimawandel. Und ein solches „Normalitätsprinzip" gilt unabhängig von der Frage, ob nun CO2-Ausstoß oder Zersiedelung,

Brandrodung oder Rohstoffvergeudung die Ursache sind für den Verlust der Lebensgrundlagen. Da hilft auch keine von oben verordnete „Nachhaltigkeit", denn ohne brutale Grenzsetzung an der Quelle des Problems wird die Spezies Mensch immer weiter wachsen und immer toxischer für die Lebensbedingungen auf der Erde sein.

Allerdings befinden sich die selbsternannten Verhinderer des Klimawandels in einem vielfachen Dilemma. *Dilemma 1:* Der menschengemachte Klimawandel ist eine Konsequenz der Tatsache, dass der Mensch im Biotop Erde ein zu bedeutender Faktor geworden ist. Zu einem solchen ist er geworden, weil er sich bisher ungenutzte Energiequellen und Rohstoffe erschlossen hat und es in einer Fortschrittsspirale dazu gebracht hat, dass zumindest kurzfristig viel mehr menschliche Individuen überleben können, als dauerhaft dem Planeten zuträglich wäre. Die Klimaaktivisten denunzieren die Nutzung von Rohstoffen und Energiequellen, wollen aber nicht wahrhaben, dass sie im Grunde daran arbeiten, die Rolle des Menschen im Biotop Erde per Dekret wieder zu marginalisieren.

Nur die totalitärsten Staaten haben jemals gewagt, Ressourcenbegrenzung und die Begrenzung des Lebensrechts Einzelner programmatisch zu betreiben. Und sind damit gescheitert. Wenn ich *Dilemma 1* durch die Wahl zwischen *Ressourcenverbrauch* und *Lebensrecht des Einzelnen* charakterisiere, so bin ich hier schon beim *Dilemma 2*, nämlich bei der Wahl zwischen dem *Recht des Individuums* (das man gewöhnlich „Freiheit" nennt) und dem *Repressionsrecht einer Gewalt ausübenden Instanz.*

Dilemma 3 liegt in der *Konkurrenz der Instanzen.* Kein Individuum, kein Familienverband, keine religiös-weltanschauliche Gruppe und keine autonome Interessengemeinschaft jeglicher Art wird sich einer übergeordneten Instanz fügen, wenn dadurch die eigene Existenz gefährdet ist, also der eigene Untergang droht. Man könnte das Prinzip, das dieser Konkurrenz zugrunde liegt, auch das Dilemma zwischen *Krieg* und *Frieden* nennen.

Und auf jeweils ein Wort reduziert:

(1) das Lebensrechts-Dilemma,
(2) das Machtdilemma,
(3) das Konkurrenzdilemma.

Möglicherweise lassen sich weitere Konflikte konstruieren, möglicherweise lassen sich jedoch auch alle auf ein Dilemma reduzieren. Zunächst fällt mir zumindest eine hierarchische Struktur dieser Konflikte auf: Dilemma 1 entsteht, weil jeder *leben* will, Dilemma 2, weil jeder *frei* leben will und Dilemma 3, wenn sich Teile der Menschheit auf Kompromisse zur Lösung der beiden anderen verständigt haben sollten. *Anarchismus* ist die Lösung auf Ebene 1, das heißt, das Konzept gegen die Überbevölkerung ist der Klimawandel selbst. *Totalitarismus* ist die Lösung auf Ebene 2, das heißt, das Konzept gegen die Überbevölkerung ist die Beschränkung der individuellen Freiheit. Das Konzept der Ebene 3 heißt *Krieg*. Es läuft darauf hinaus, dass sich eine Mehrzahl von totalitären Systemen gegenseitig bekriegt und dadurch direkt oder indirekt hinreichend viele Individuen zu Tode kommen, um den Klimawandel (oder andere Arten der Gefährdung der Lebensgrundlagen) zu begrenzen. Wer das Buch „1984" von George Orwell gelesen hat, wird dort Ähnlichkeiten mit dieser Ebene 3 entdeckt haben.

Die Lösung

Nach all dem Gesagten ist offensichtlich, dass es unmöglich ist, einen weltweiten Konsens über die angemessene Reaktion auf den drohenden Klimawandel zu finden. Nötig wäre vorherige Einigkeit über die ethischen Prinzipien zur Überwindung der Konflikte und Handlungsalternativen, die ich eben als Dilemma dargestellt habe. Ich habe lange über diese Fragen nachgedacht und neige nun – im Augenblick, in dem ich dies niederschreibe – dazu, die Anarchie als den naheliegendsten, wahrscheinlichsten Ansatz zu sehen. Ich bin allerdings weit davon entfernt, hinreichende, unwiderlegliche Argumente zu finden, die zur Hoffnung Anlass gäben, dass darüber ein Konsens auch nur in meinem nächsten Umfeld zu erzielen wäre, geschweige denn im weltweiten Rahmen. Ich zögere auch, Anarchie zu fordern oder zu fördern, aber ich fürchte, sie wird am Ende das Ergebnis aller fruchtlosen Bemühungen sein – das radikalste aller denkbaren Projekte. Die Besonderheit der Option Anarchie ist nämlich, dass sie keinen Konsens über die darin vorkommenden Ad-hoc-Gemeinschaften hinaus nötig hat. Für die Wahl der Lösung „Anarchie“ reicht mir daher ein einziger Grund. Der heißt: Ich verabscheue den Totalitarismus. Läge vielleicht in einer „moderierten“ Form der Anarchie die weniger radikale, aber erfolgversprechende, Lösung? Ausführliche Gedanken in diese Richtung hat sich schon in den 70er-Jahren des zwanzigsten Jahrhunderts ein Vordenker namens Yona Friedman gemacht. Ich erwähne ihn im Literaturverzeichnis am Ende dieses Büchleins.

Der Mensch als Teil der Evolution

All das Gesagte, man mag es so akzeptieren oder nach Korrektur oder Verfeinerung rufen, gibt immerhin eine grobe Vorstellung davon, wie das Leben und die darin vorkommenden Arten und Individuen ihren Platz in der Welt finden und Schritt für Schritt Veränderungen unterworfen sind. Es liefert aber keineswegs auch nur den geringsten Anhaltspunkt dafür, welche konkreten Aktionen von Individuen oder Gemeinschaften, von Wirtschaftsunternehmen oder Staaten, nützlich sein könnten, den Nachfahren des heutigen Menschen ein „besseres" Schicksal zu bescheren. Und wie es aussieht ist ja gerade dies der absurde Anspruch aller derer, die sich aufmachen, als Retter der Menschheit oder gar der Gesamtheit der Lebensformen auf dem Planeten Erde wirksam zu werden.

Oder ist der Antrieb ein anderer? Geht es nicht doch, bei jedem einzelnen, zur Weltrettung angetretenen Individuum, letztlich um die Bedienung individueller Urängste, vor dem Tod, vor Qual und Schmerz oder vor dem kurzfristigen Verlust der Lebensgrundlagen der eigenen Nachkommen? Weit entfernt von dem Anspruch, Weichen stellen zu können für die ganze Menschheit, für die ferne Zukunft der Menschheit, oder gar für die Zukunft des Lebens auf der Erde? Geht es um die Beruhigung des eigenen Gewissens? Um die Furcht davor, schuldig gesprochen zu werden für Katastrophen, die über uns hereinbrechen – als Konsequenz unseres Kampfes ums eigene Leben? Als Konsequenz unserer bloßen Existenz, in verzweifelter Konkurrenz gegen alles, was als dessen Bedrohung anzusehen ist?

Meine Antwort auf diese Fragen fasse ich in das nun folgende und längst fällige Geständnis.

---------- ◆ ----------

42
P3
1
4
15

Ethik und Weltrettung

Hier ist nun das versprochene Geständnis!

In Anbetracht der Lage der Menschheit gestehe ich hiermit feierlich:

„Ich bekenne mich schuldig, durch meine bloße Existenz zum Leid allen Lebens beizutragen, und sehe keinen Anlass zu glauben, dass ich damit eine Ausnahme bin, oder dass irgend ein Lebewesen dieser Schuld jemals entkommen kann.“

Was ich mit „Schuld“ meine, welche konkrete Last ich mir mit deren Bekenntnis auferlege, ist nicht leicht zu definieren. Schuld hängt mit dem Glauben an den *Wert* des eigenen Lebens zusammen, und mit der Erkenntnis, dass nur die *Tat* diesen Wert schafft. All unsere Taten sind aber ins Blaue hinein an unseren Vorstellungen orientiert, ohne die Möglichkeit, die daraus erwachsenden langfristigen Konsequenzen zu erkennen.

Ich möchte dies mit der folgenden Betrachtung beispielhaft beleuchten:

Man hört immer wieder die Auffassung, es sei ethisch geboten, einer möglichst großen Anzahl von Menschen gleichzeitig das Leben auf Erden zu ermöglichen. Danach wäre oberstes Ziel – allen politischen und wirtschaftlichen Handelns – die Nahrungsproduktion und -verteilung entsprechend zu optimieren.

Ein Beispiel fand sich im letzten Jahr in der „+3“-Beilage der SZ vom 9.4.2022, unter dem Thema „Lieferketten“. Ein sonst sehr renommierter Soziologe namens Jean Ziegler, im Text vorgestellt als ehemaliger „UN-Sonderberichterstatter für das Recht auf Nahrung“, behauptet da allen Ernstes, dass jeder Mensch, der heute Hungers stirbt, als Opfer der „Profitmaximierung“ durch den „Raubtierkapitalismus“ global agierender Konzerne zu betrachten sei, da ja die weltweite Landwirtschaft „problemlos“ 12 Milliarden Menschen ernähren könne. Er beruft sich dabei auf den „World Food Report“ einer UN-Organisation. Aus der Tatsache, dass aktuelle Bevölkerungsstatistiken bisher „nur“ eine globale Bevölkerungszahl von gerade überschrittenen 8 Milliarden ausweisen, glaubt Herr Ziegler von einem „täglichen Massaker des Hungers“ sprechen zu müssen und behauptet weiter: *„Jedes Kind, das heute an Hunger stirbt, wird ermordet“*. Er nennt übrigens die aktuelle Bevölkerungszahl nicht explizit. Aktuelle Werte findet man unter:

https://countrymeters.info/de/World

Wie kommt jemand auf eine solche Weltsicht? Die Wahrheit ist doch, dass schon beim aktuellen Bevölkerungsstand der Zusammenbruch des gesamten irdischen Ökosystems nicht zu vermeiden ist. Wie seit Jahren immer offensichtlicher wird, liegt die Zahl der jetzt lebenden Menschen bereits um Faktoren über der für ein stabiles Klima dauerhaft tolerablen Grenze. Das eigentliche – und wahrscheinlich unlösbare – ethische Problem ist doch, dass alles Leben, nach Arten sortiert, zu jedem Zeitpunkt auf Wachstum ausgelegt ist; auf Gedeih oder Verderb, denn die Alternative wäre Aussterben.

Ohne den unbedingten Willen zur Fortpflanzung ist eine Art nicht auf Dauer überlebensfähig und dieser Wille wird über die Generationen geformt in der Konkurrenz mit den eigenen Artgenossen. Somit wird jede Art zur Bedrohung jeder anderen in dem Maße, wie sie sich überlegen zeigt im Wettkampf um die nötigen Ressourcen für ihr Überleben. Sofern *eine* Art auf Dauer die Überhand gewinnt, erreicht der immer wachsende Zugriff auf diese Ressourcen letztlich irgendwann die Grenze, an der das planetarische Gleichgewicht kippt. Das passiert nur dann nicht, wenn bereits aus der allgegenwärtigen Konkurrenz der Arten jede einzelne Art hinreichend niedergehalten wird. Das Funktionieren dieses Konkurrenzkampfes, wie erbarmungslos er auch sein mag, ist also Voraussetzung für ein hinreichendes planetarisches Gleichgewicht. Konkurrenz und Kampf ums Dasein sind somit als unvermeidlich zum Leben gehörig anzusehen.

Seit der ersten Regung von Leben auf Erden ist immer wieder von einzelnen Arten die Belastbarkeit des Gleichgewichts auf die Probe gestellt worden, mit entsprechend katastrophalen Folgen. Der einzige Grund, warum sich das Leben dennoch immer wieder in lückenloser Kette weiter fortpflanzen konnte, liegt in der Fähigkeit der Lebensprozesse zur Veränderung und damit zur Anpassung der jeweils aktuell lebenden Arten an neue und veränderte Bedingungen. Welche Rolle kann Ethik in solchem Zusammenhang überhaupt spielen?

Wenn man Ethik definiert als *Regelsetzung*, zum Zweck des ausgleichenden Zusammenwirkens des Individuums mit seinen Artgenossen und dem Biotop, in dem jede Art ihr Überleben zu sichern hat, dann wird schnell klar, dass es zwei Faktoren braucht, um zu solchen Regelsetzungen zu kommen: Erstens muss ein *Ziel* der Optimierung benannt werden. Wer sollen die Nutznießer sein und worin besteht ihr Eigennutz? Geht es tatsächlich um die Maximierung der Bevölkerungsdichte? Oder vielmehr um die langfristige Konstanz der Lebensbedingungen? Ist Konstanz überhaupt eine relevante Größe oder ist das Anliegen nicht vielmehr Stimmigkeit zwischen

Wunsch und Wirklichkeit, deren Diskrepanz zu jedem Zeitpunkt zu bewerten wäre und entsprechend durch augenblicksbezogene Ethik zu berücksichtigen wäre?

Zweitens muss eine *Macht* existieren, die festlegt, welche Regeln gelten. Wer soll bestimmen, was das Ziel ist? Wir finden uns also schon beim Versuch, Ethik zu definieren, mitten im Kampf der geheimnisvollen Widersprüche zwischen Individuum und Gemeinschaft, einzelner Art und Biotop, Hoffnung auf Stabilität und Zwang zur Erneuerung – also mitten im wirklichen Leben, das jeden mit Hohn straft, der glaubt, auf dem Boden fester Regeln und stabiler Bedingungen leben zu müssen oder zu dürfen. Klar scheint mir nach dem bisher Gesagten bereits, dass es eine universelle Ethik nicht geben kann. Ethik ist immer parteiisch und augenblicksbezogen, definiert aus der Perspektive des momentanem Ziels. Gerade *weil* Ethik augenblicksbezogen ist, wird Konstanz eine relevante Größe. Sobald Ethik über das individuelle Gewissen hinaus gelten soll, braucht es Gleichgewicht von Stabilität und Wandel.

Die einfachste Ethik ist die totalitäre Ethik. In ihr ist klar definiert, wer der Nutznießer sein soll und welche Zwecke er verfolgt. Totalitäre Ethik muss nach immer umfassenderer Beherrschung der Lebensbedingungen des globalen Biotops streben, da sie sonst auf Dauer immer zum Opfer wird im wandelbaren Strom des ihrer Macht entkommenden Lebens. Sie zerbricht also meist am Widerstand derer, denen sie die Hoffnung aufs Überleben entzieht. Wenn aber die Macht, die solche Ethik trägt, tatsächlich einmal ihr Ziel erreichen sollte, würde dies wohl das Ende allen Lebens überhaupt bedeuten, denn welchen Sinn könnte es noch haben, wenn es Sklave einer vorgegebenen, unwandelbaren Vorstellung wird? Daher ist nach meiner Meinung Ethik nie universell, sondern immer am kleinsten autonomen Teil des Biotops fest zu machen, an dessen temporärer Existenz und ewiger Wandelbarkeit. Ethik jenseits des individuellen Gewissens ist immer mit Verlust von Autonomie, von Souveränität und Freiraum des Individuums verbunden. Sie kann nur bestehen, wenn sie *Erfolg* hat, also denen das Leben sichert, die sich zu ihr bekennen, nicht jedoch ihren Verächtern sowie deren Nachkommen. Die Lebewesen auf dieser Welt kennen keine Ethik jenseits des individuellen Gewissens, das man dann meist Instinkt nennt. Jedes Verhalten, das sie mit Artgenossen verbindet, und damit auch ihr Gewissen, wenn man es so nennen will, ist Teil oder Folge eines inneren, genetisch angelegten, artspezifischen und vererbbaren Kodex. Vielleicht ist der eigentliche evolutionäre Fortschritt, der den Menschen auszeichnet, seine einzigartige Fähigkeit zur „Ethik nach Vereinbarung“?

Nach diesem Exkurs in die Ethik kann ich getrost alle Versuche ethischer „Weltrettung“ als totalitären Wahn abtun und dem Prinzip der allgegenwärtigen Konkurrenz der Arten die alleinige Macht zusprechen. Ethik ist somit selbst Teil des oben bereits beschriebenen erbarmungslosen Konkurrenzkampfes. Und dieser Kampf ist notwendiger Teil des Lebens, Garant der Weiterentwicklung des Lebens, Garant der Abmilderung einseitiger Veränderungen und damit einziges Mittel gegen den zerstörerischen Sieg einzelner Arten – somit indirekt das stabilisierende Element für die planetaren Bedingungen. Dennoch ist auch so keine dauerhafte Stabilität der globalen Lebensbedingungen denkbar. Die unzähligen Veränderungsprozesse der Vergangenheit, die bei der Erforschung der Erdgeschichte ans Licht kamen, geben davon unzweifelhaft Zeugnis. Dass trotz dieses Dilemmas das Leben auf unserem Planeten seit Jahrmilliarden in lückenloser Kette existiert, liegt an der steten Veränderung der Lebensformen selbst, welche dafür sorgte, dass nie eine einzelne „Ethik“ die Gewalt über das Ganze bekam. So konnten und mussten die Träger jeder gescheiterten Ethik mit ihr aussterben, um anderen Formen der Ethik Platz zu machen.

Das *menschliche Bewusstsein* ist eine Anpassung, eine aus dieser unermesslichen Anzahl von Anpassungen, die immer wieder neue Wege für das Überleben eröffnet haben und neuen

Prinzipien im Kreis der Überlebenden zur Geltung verholfen haben. Wir dürfen annehmen, dass dieses Bewusstsein uns als erste, und vielleicht als letzte Art auf diesem Planeten, in die Lage versetzt, dieses ethische Dilemma überhaupt als Problem wahrzunehmen. Wir suchen *erstmals* nach einer universalen Ethik! Welch ein Anspruch! Und doch sind wir dumm genug, auf so desaströs abartige Lösungsvorschläge zu verfallen wie das „Recht auf Nahrung". Nicht nur dieser Anspruch kursiert in Kreisen, die sich für Vorreiter der Ethik halten. Nein, auch der Anspruch auf sauberes Trinkwasser, der Anspruch auf Gesundheit, auf Gleichberechtigung und all diese schönen Dinge, die in einschlägige Dokumente der Vereinten Nationen Eingang gefunden haben; oder ihren Platz finden in den Köpfen von Menschen, die glauben, zur Rettung der Welt ausersehen zu sein. Aber, leider, jeder dieser Ansprüche ist doch immer *Anspruch gegen jemand anderen*! Nehmen wir das Bild vom Ast, auf dem wir sitzen: Können wir gegen diesen Ast einen Anspruch erheben? Oder ist es nicht vielmehr unsere Aufgabe, diesen Ast zu pflegen und zu schützen vor Überlastung? Nicht den Gärtner, der den Baum gepflanzt hat, müssen wir schelten, wenn der Ast bricht, sondern uns selbst, wenn es uns nicht gelingt, den Kampf um einen der unwiderruflich begrenzten Plätze zu gewinnen oder wenn wir gar, in panischer Konkurrenz um unseren Platz auf dem Ast, diesen überlasten und samt ihm in den Abgrund stürzen. Ich sehe überhaupt nur eine Art von Ethik, die universell wirken kann, ohne in die Katastrophe zu führen. Und die heißt:

Bereitschaft zum Verzicht als universeller Anspruch an alle diese, zusammen so zerstörerischen, Individuen. Wenn wir nicht selbst, mit friedlichen Mitteln, in der Lage sind, unseren Lebensunterhalt zu bestreiten, müssen wir bereit sein, ohne Groll abzutreten, ohne jemand anderen zu beschuldigen dafür, dass er stärker, gesünder, geschickter, duldsamer, vielleicht auch listiger ist als wir. Es genügt, wenn jeder von uns sich darauf beschränkt, diejenigen zu ermutigen, denen er zutraut, die Welt voran zu bringen, gerne auch ethisch, gerne auch friedlich! Niemand muss sich auf einen Krieg einlassen. Das ist das Prinzip des Christentums, wohl auch der meisten anderen Religionen, wird aber immer wieder vergessen, auch von Menschen, die sich für gute Christen halten. Und wenn sich einer auf Krieg einlässt, darf er sich nicht über die Konsequenzen wundern oder sich gar beklagen, wenn seine Vorstellungen unterliegen.

Mein Rat: Nutze deine Talente und fördere einfach nach Kräften, was dir Hoffnung macht: Menschliche Haltung zu den Dingen des Lebens, Stärke, Gesundheit, Geschick, Geist und Schönheit, auch bei anderen, die du deshalb vielleicht eher als die Hoffnungsträger für die künftige Menschheit ansiehst als dich selbst. Für das Gelingen einer solchen universalen Ethik brauchst du keine Rechte, keine Ansprüche, keine Forderungen und keine Institutionen zur Weltverbesserung. Du selbst hast alles in der Hand und kannst lachen über die, welche sich in Kämpfen verzehren, in Schmerz und Elend versinken und den Tod fürchten. Und vor allem über jene, die glauben, immer *anderen* die Schuld geben zu müssen an ihrem eigenen Elend, das ja doch einzig aus ihren falschen Vorstellungen entspringt.

---------- ◆ ----------

Danksagung:

Die hier zuletzt wiedergegebenen Gedanken sind inspiriert aus Unterrichtsnotizen von Schülern eines griechischen Philosophen, der selbst keine schriftlichen Aufzeichnungen hinterlassen hat: *Epiktet*. Ihm möchte ich danken, seine Weisheit möchte ich rühmen. Er hat selbst natürlich weder die uns heute bedrückenden Katastrophenszenarien noch die heute bekannten Fakten der Erdgeschichte gekannt, noch scheint er vom Christentum beeinflusst zu sein, obwohl er deutlich nach Christi Geburt gelebt hat, und obwohl aus seinen Lehren viel von dem spricht, was auch Jesus Christus gelehrt hat. Das Prinzip, unser Leben als Geschenk zu betrachten, und alles Übel den eigenen falschen Vorstellungen anzulasten, statt die Schuld auf andere zu schieben, war ja damals bereits lange lebendig, ist aber nie so einleuchtend dargelegt worden wie von Epiktet.

Könnten wir erreichen, dass sich die Menschheit des Werts dieser Prinzipien bewusst würde und bereit wäre, sich ihnen zu unterwerfen, könnten wir uns vielleicht ohne Anarchismus einer langfristigen Zukunft stellen. Aber wäre das nicht letztlich auch eine Form von Anarchie? So, wie sie sich der berühmte Montesquieu vorgestellt hat, am Beispiel der Fabel von den Troglodyten, in seinen genialen „Persischen Briefen“!

Schlussbemerkung

Wie im ersten Band scheinen meine drei Geschichten nicht zusammen zu passen. Wie dort folge ich mit diesem „Stilbruch" aber meinem Gefühl, dass genau dieser ungewohnte Kontrast, entstehend aus dem unterschiedlichen Grad der Subjektivität und thematischen Perspektive der Texte, dem Leser eine zusätzliche Dimension eröffnet um seine eigene Betrachtungsweise zu finden.

Dies ist der erste Band, in dem ich Bilder verwende. Sie haben nur indirekten, vom Leser selbst zu erfühlenden Bezug zum Text. Sie sollen vor allem mir selbst Erfahrungen im Umgang mit der Buchgestaltung verschaffen und so für meine künftigen Arbeiten den Boden bereiten.

Weiterhin hoffe ich, über meine E-Mail-Adresse kritikaster@arcor.de), Rückmeldungen zu bekommen: Hat es sich gelohnt, diese Texte zu lesen und wenn ja warum, oder warum nicht?

Herzlichst der Ihre

Otto Bernecker

Bildnachweis

Seite	Bildinhalt	Aufnahme
Umschlag:	Blütenstand einer Schneerose	4/2009
11	Paris, Champs Élysées, Nationalfeiertag	7/1982
13	Nähe Schäftlarn, Rast am Ziel des Spaziergangs	1956
25	Mittersill, Österreich, Strom-Ferntrasse	6/2015
49	München, Unkraut in einem Vorgarten	ca. 2015
73	München, Hauptbahnhof, Gleisbereich	1/2015
84	Karikatur „Du bist schuld“	7/2022
87	Chamonix, aus Seilbahn zur Aiguille du Midi	4/2015

Literatur

„LIVING ON THE THIRD PLANET“
von Hannes und Kerstin Alfven
Englische Ausgabe 1972 bei W. H. Freeman

„ZUFALL UND NOTWENDIGKEIT“
von Jacques Monod
Französische Erstausgabe „Le hasard et la nécessité“ 1970
Deutsche Erstausgabe 1971 bei Piper

„WGII SIXTH ASSESSMENT REPORT“
Climate Change 2022: Impacts, Adaptation and Vulnerability
Abrufbar unter https://www.ipcc.ch/report/ar6/wg2/

„MACHBARE UTOPIEN“
von Yona Friedman,
zeigt u.a. die Unmöglichkeit des weltweiten Konsenses.
Fischer Taschenbuch 1978
Französische Erstausgaben dazu 1974, 1975

„PERSISCHE BRIEFE“
von Charles de Secondat, Baron de Montesquieu
Französische Erstausgabe „Lettres Persanes“ 1721
Deutsch in einer Vielzahl moderner Ausgaben erhältlich.

„EPIKTET“
lebte von 50 bis 120 A.D.und lehrte stoische Philosophie.
Was von ihm überliefert ist, findet sich bis heute in
unzähligen Veröffentlichungen.

„1984“
vom George Orwell
Originalausgabe „nineteen eithty-four“, 1949 bei Secker & Warburg
Deutsche Ausgaben seit 1950 verfügbar.

Wikipedia-Stichworte
zum Abschnitt Klimawandel

Geologische Zeitskala
Historische Geologie
Entwicklung der Erdatmosphäre
Erdatmosphäre
Kohlenstoffdioxid in der Erdatmosphäre
Paläoklimatologie
Ediacarium

DIE REIHE „3+1"

Bisher erschienen:

Drei Geschichten und ein Geständnis

Band 1 Vom Staunen
Band 2 Existenzfragen

Ingram Content Group UK Ltd.
Milton Keynes UK
UKHW020048210623
423745UK00014B/341